W9-CSJ-063

Promesas de Dios para usted

Un regalo de Jesús para usted:

– Site de la Raboni Editora:
www.raboni.net

– Site del libro Rosario de la Liberación:
www.rosariodelaliberacion.com

– Site del libro Oraciones de Poder:
www.oracionesdepoder.com

– Site vídeos Regis e Maïsa Castro:
www.tvtercodalibertacao.com.br

– Blog de los editores:
www.regisemaisacastro.com.br

– Site da Comunidade Jesus te Ama:
www.comunidadejesusteama.org.br

OBRAS DE MAÏSA CASTRO

Elija la Bendición
Es necesario que nazcan de nuevo – 3ª edición
Oraciones Carismáticas – 5ª edición
Oraciones de Poder – 93ª edición
Oraciones de Poder II – 59ª edición
Oraciones de Poder III – 43ª edición
Palabras que curan – 6ª edición
Perseverar en el Amor de Dios – 11ª edición
Promesas de Dios para usted – 23ª edición
¡Ruega por nosotros, Santa Madre de Dios! – 14ª edición
Y Jesús dijo... – 3ª edición

EN COAUTORÍA CON REGIS CASTRO

Alabanza – Ping-pong – 6ª edición
Amor eterno – 20ª edición
Curación a través de la Bendición (Bendición sobre bendición) – 39ª edición
Jesús es mi Amigo – 10ª edición
Jesús te ama – 41ª edición
Jesús quiere sanar su vida – 13ª edición
La mano poderosa de Jesús en mi corazón – 44ª edición
La oración que Dios responde – 11ª edición
Libro de la Familia – cura y salvación para ti y tu familia – 16ª edición
Rosario de la Liberación – 116ª edición
Testimonios del Rosario de la Liberación
Una visita de Jesús para usted (Raquel) – 26ª edición

OBRAS DE REGIS CASTRO

Capilla, un sentido para la vida
Consejos de Dios para ti – 7ª edición
Consejos de Dios para ti II – 9ª edición
Croma, un camino para la vida – 2ª edición
Las manitos de María – 23ª edición
Libro de la Misericordia Divina – 5ª edición
Rabboni – 6ª edición
Raïssa – 4ª edición
Siempre hay una esperanza – 6ª edición
Un regalo de Jesús para usted

Los números de las ediciones indicadas arriba en los libros corresponden a la versión en español, inglés y portugués.

Maïsa Castro, organización

PROMESAS
DE
DIOS PARA USTED

23ª edición
en Español, inglés y portugués

Editores: Regis Castro/Maïsa Castro
Traducción: Rosa Arriagada Contreras
Revisión: Vilma Aparecida Albino
Tapa: Estúdio Campos
Impresión: Prisma Printer Gráfica e Editora Ltda./Campinas/SP

PARA LA GLORIA DE JESUCRISTO NUESTRO SEÑOR. ¡ALELUYA!

Las citas bíblicas fueron extraídas de la Biblia de Jerusalén. Bilbao, Editorial Española Desclée de Brouwer, 1967.

ISBN 85-7345-026-6 (edición original)
ISBN 85-7345-095-9

Pedidos para:

• RABONI EDITORA LTDA.
Caixa Postal 140
CEP 13001-970 – Campinas/SP – Brasil
PABX: 0055-19-3242-8433 • FAX: 0055-19-3242-8505

Site: http://www.raboni.net
e-mail: raboni@raboni.net

Dedico este libro a mi padre, Luiz Américo Lettiére, que me incentivó tanto a hacerlo y anciaba por verlo terminado antes de irse al hogar celestial.

A todos los hijos e hijas de Dios, para que aprendan a entrar, por la fe en Jesucristo y en Su Palabra, en la pose de las mayores y más preciosas promesas, a fin de que se tornen, por ese medio, participantes de la naturaleza divina.

"Ayer como hoy, Jesucristo es el mismo, y lo será siempre" (Hb 13,8).

"Todas las promesas hechas por Dios han tenido su sí en él; y por eso decimos por él 'Amén' a la gloria de Dios" (II Co 1,20).

Índice

Presentación

Dios es fiel y verdadero.

Por la fe, tomamos pose anticipada de los bienes prometidos; en confianza, esperamos... y el amor que proviene del Señor operará, tornando realidad cada una de Sus promesas.

"Mi justo vivirá por la fe" (Hb 10,38a).

Jesucristo no cambió y no cambiará nunca (cf. Hb 13,8). Sus palabras son las mismas: ninguna de ellas fue modificada, ni Sus promesas, revocadas.

"El cielo y la tierra pasarán, pero mis palabras no pasarán"
(Mt 24,35).

Usted que está cansado, deprimido, desanimado, desconsolado... haga una experiencia del amor de Dios y Su poder; ¡ahora mismo!

Abra su corazón a Jesucristo, convídelo a entrar en su vida como su único Salvador y Señor. Confiésele todos sus pecados, arrepiéntase de ellos. Pida a Jesús que lo perdone, que lo lave con Su Sangre preciosa y que lo llene con Su Santo Espíritu.

El Espíritu Santo es el verdadero Espíritu. Va a conducirlo, a través de la Palabra de Dios, a la revelación de la única verdad que es Jesucristo y va a capacitarlo a comprender las enseñazas de Jesús – no sólo con su mente, pero con el corazón, porque con la mente nos entendemos, **pero es con el corazón que debemos creer**.

Recurra a los **sacramentos** de la Iglesia: a la **confesión**, a la **Eucaristía**; renueve la **fe** de su bautizo, intensifique su **oración personal** y sea asiduo y participante en las celebraciones de la santa misa.

Ahora, lea con calma, meditando, cada promesa de Dios para usted, de acuerdo con su necesidad específica. Recuérdese: ¡Dios lo ama! Cada promesa contenida en la Biblia Sagada tiene un destinatario: usted... que es hijo amado de Dios por la fe en Jesucristo.

"A todos los que la recibieron les dio poder de hacerse hijos de Dios, a los que creen en su nombre" (Jn 1,12).

El poder de Dios opera a través de nuestra fe en Su amor infinito y en la plena confianza en que El realizará, a favor nuestro, exactamente aquello que prometió en Su Palabra.

Deje que la promesa del Señor caiga en su corazón, acójala con fe y confianza, repítala muchas veces en voz alta hasta que quede imprimida en su mente.

Alabe a Dios, pues El cumplirá Su Palabra. El hará que la Palabra que usted acogió con fe y proclamó con convicción actúe a su favor, liberando su corazón llenándolo de alegría y consuelo.

¡Nuestro Dios vive! El es el Padre de todo el consuelo, y ninguno de aquellos que pusieron en El su confianza jamás fue confundido. El vela sobre Su Palabra para que se cumpla – y así sucederá en su vida.

"Gustad y ved qué bueno es Yahvéh, dichoso el hombre que se cobija en él" (Sal 34[33],9).

Dios lo bendiga, querido lector, y le conceda crecer cada vez más en la gracia y en el conocimiento de Nuestro Señor y Salvador Jesucristo.

Parte I

1

¿Qué es la Biblia?

Palabra de Dios

"Toda Escritura es inspirada por Dios y útil para enseñar, para argüir, para corregir y para educar en la justicia."
II Timoteo 3,16

"Ante todo, tened presente que ninguna profecía de la Escritura puede interpretarse por cuenta propia; porque nunca profecía alguna ha venido por voluntad humana, sino que hombres movidos por el Espíritu Santo, han hablado de parte de Dios." **II Pedro 1,20-21**

"El espíritu es el que da vida; la carne no sirve para nada. Las palabras que os he dicho son espíritu y son vida."
Juan 6,63

"Ciertamente, es viva la Palabra de Dios y eficaz, y más cortante que espada alguna de dos filos. Penetra hasta las fronteras entre el alma y el espíritu, hasta las junturas y médulas; y escruta los sentimientos y pensamientos del corazón." **Hebreos 4,12**

"Como descienden la lluvia y la nieve de los cielos y no vuelven allá, sino que empapan la tierra, la fecundan y la hacen germinar, para que dé simiente al sembrador y pan para comer, así sera mi palabra, la que salga de mi boca, que no tornará a mí de vacío, sin que haya realizado lo que me plugo y haya cumplido aquello a que la envié." **Isaías 55,10-11**

"El que me rechaza y no recibe mis palabras, ya tiene quien le condene: la Palabra que yo he hablado, ésa le condenará el último día; porque yo no he hablado por mi cuenta, sino que el Padre que me ha enviado me ha mandado lo que tengo que decir y hablar, y yo sé que su mandato es vida eterna. Por eso, las palabras que yo hablo las hablo como el Padre me lo ha dicho a mí." **Juan 12,48-50**

"Habéis sido reengendrados de un germen no corruptible, sino incorruptible, por medio de la Palabra de Dios viva y permanente." **I Pedro 1,23**

"'Toda carne es como hierba y todo su esplendor como flor de hierba; se seca la hierba y cae la flor; pero la Palabra del Señor permanece eternamente.' Y esta es la Palabra: la Buena Nueva anunciada a vosotros." **I Pedro 1,24-25**

"Él habló y fue así, mandó él y se hizo."
Salmo 33[32],9

"Probadas son todas las palabras de Dios; él es un escudo para cuantos a él se acogen." **Proverbios 30,5**

"Para siempre, Yahvéh, tu palabra, firme está en los cielos." **Salmo 119[118],89**

"Pues recta es la palabra de Yahvéh, toda su obra fundada en la verdad." **Salmo 33[32],4**

"Yo advierto a todo el que escuche las palabras proféticas de este libro. 'Si alguno añade algo sobre esto, Dios echará sobre él las plagas que se describen en este libro. Y si alguno quita algo a las palabras de este libro profético, Dios le quitará su parte en el árbol de la Vida y en la Ciudad Santa, que se describen en este libro.'" **Apocalipsis 22,18-19**

"El cielo y la tierra pasarán, pero mis palabras no pasarán." **Marcos 13,31**

"Y me dijo Yahvéh: 'Bien has visto. Pues así soy yo, atento a mi palabra para cumplirla.'" **Jeremías 1,12**

"Luego me dijo: 'Estas son palabras ciertas y verdaderas; el Señor Dios, que inspira a los profetas, ha enviado a su Ángel para manifestar a sus siervos lo que ha de suceder pronto. Mira, pronto vendré. Dichoso el que guarde las palabras proféticas de este libro.'" **Apocalipsis 22,6-7**

Guía

"No se aparte el libro de esta Ley de tus labios: medítalo día y noche; así procurarás obrar en todo conforme a lo que en él está escrito, y tendrás suerte y éxito en tus empresas. ¿No te he mandado que seas valiente y firme? No tengas miedo ni te acobardes, porque Yahvéh tu Dios estará contigo dondequiera que vayas." **Josué 1,8-9**

"Guarda, hijo mío, mis palabras, conserva como un tesoro mis mandatos. Guarda mis mandatos y vivirás; sea mi lección como la niña de tus ojos. Átalos a tus dedos, escríbelos en la tablilla de tu corazón." **Proverbios 7,1-3**

"Voy a instruirte, a mostrarte el camino a seguir; fijos en ti los ojos, seré tu consejero." **Salmo 32[31],8**

"Escucha, hijo mío, recibe mis palabras, y los años de tu vida se te multiplicarán. En el camino de la sabiduría te he instruido, te he encaminado por los senderos de la rectitud. Al andar no se enredarán tus pasos, y si corres, no tropezarás." **Proverbios 4,10-12**

"Tú eres, Yahvéh, mi lámpara, mi Dios que alumbra mis tinieblas." **II Samuel 22,29**

"Por las entrañas de misericordia de nuestro Dios, que harán que nos visite una Luz de la altura, a fin de iluminar a los que se hallan sentados en tinieblas y sombras de muerte y guiar nuestros pasos por el camino de la paz." **Lucas 1,78-79**

"Confía en Yahvéh de todo corazón y no te apoyes en tu propia inteligencia; reconócele en todos tus caminos y él enderezará tus sendas." **Proverbios 3,5-6**

"Espera en Yahvéh y guarda su camino, te exaltará a la herencia de la tierra, el exterminio de los impíos verás." **Salmo 37[36],34**

"Decía Jesús a los judíos que habían creído en él: 'Si os mantenéis fieles a mi Palabra, seréis verdaderamente mis discípulos, y conoceréis la verdad y la verdad os hará libres.'" **Juan 8,31-32**

"Para mis pies antorcha es tu palabra, luz para mi sendero." **Salmo 119[118],105**

"Y conforta mi alma. Me guía por senderos de justicia, por amor de su nombre." **Salmo 23[22],3**

"En tus pasos ellos serán tu guía; cuando te acuestes, velarán por ti; conversarán contigo al despertar. Porque el mandato es una lámpara y la lección una luz; camino de vida los reproches y la instrucción." **Proverbios 6,22-23**

"¿Cómo el joven guardará puro su camino? Observando tu palabra." **Salmo 119[118],9**

"Dentro del corazón he guardado tu promesa, para no pecar contra ti." **Salmo 119[118],11**

"Tus dictámenes hacen mis delicias, mis consejeros, tus preceptos." **Salmo 119[118],24**

"De Yahvéh penden los pasos del hombre, firmes son y su camino le complace." **Salmo 37[36],23**

Consuelo

"Hijo mío, no olvides mi lección, en tu corazón guarda mis mandatos, pues largos días y años de vida y bienestar te añadirán." **Proverbios 3,1-2**

"Yo espero en Yahvéh, mi alma espera, pendiente estoy de su palabra; mi alma pendiente del Señor más que los vigías de la aurora." **Salmo 130[129],5-6**

"En efecto, todo cuanto fue escrito en el pasado, se escribió para enseñanza nuestra, para que con la paciencia y el consuelo que dan las Escrituras mantengamos la esperanza." **Romanos 15,4**

"Atiende, hijo mío, a mis palabras, inclina tu oído a mis razones. No las apartes de tus ojos, guárdalas dentro de tu corazón. Porque son vida para los que las encuentran, y curación para toda carne." **Proverbios 4,20-22**

"Tus preceptos, los observaré, no me abandones tú del todo. ¿Cómo el joven guardará puro su camino? Observando tu palabra." **Salmo 119[118],8-9**

"Si tu ley no hubiera sido mi delicia, ya habría perecido en mi miseria." **Salmo 119[118],92**

"Mucha es la paz de los que aman tu ley, no hay tropiezo para ellos." **Salmo 119[118],165**

"Todo lo puedo en Aquel que me conforta." **Filipenses 4,13**

Fortaleza

"Por lo demás, fortaleceos en el Señor y en la fuerza de su poder." **Efesios 6,10**

"Por eso, tomad las armas de Dios, para que podáis resistir en el día malo, y después de haber vencido todo, manteneros firmes." **Efesios 6,13**

"Ahora ven, escríbelo en una tablilla, grábalo en un libro, y que dure hasta el último día, para testimonio hasta siempre. [...] Porque así dice el Señor Yahvéh, el Santo de Israel: 'Por la conversión y calma seréis liberados, en el sosiego y seguridad estará vuestra fuerza.'" **Isaías 30,8.15a-b**

"Que al cansado da vigor, y al que no tiene fuerzas la energía le acrecienta. Los jóvenes se cansan, se fatigan, los valientes tropiezan y vacilan, mientras que a los que esperan en Yahvéh él les renovará el vigor, subirán con alas como de águilas, correrán sin fatigarse y andarán sin cansarse." **Isaías 40,29-31**

"No temas, que contigo estoy yo; no receles, que yo soy tu Dios. Yo te he robustecido y te he ayudado, y te tengo asido con mi diestra justiciera." **Isaías 41,10**

"Sé para mí una roca de refugio, alcázar fuerte que me salve; pues mi roca, mi fortaleza tú, y, por tu nombre, me guías y diriges." **Salmo 31[30],3b-4**

"Nadie como [...] El Dios de antaño es tu refugio, bajo de él, poder eterno. Él expulsa ante ti al enemigo, y dice: ¡Destruye!"   **Deuteronomio 33,26a.27**

"Yahvéh, mi roca y mi baluarte, mi liberador, mi Dios; la peña en que me amparo, mi escudo y cuerno de mi salvación, mi altura inexpugnable y mi refugio. Invoco a Yahvéh, que es digno de alabanza, y quedo a salvo de mis enemigos."   **Salmo 18[17],3-4**

"Así dice el rey de Israel y su redentor, Yahvéh Sebaot: 'Yo soy el primero y el último, fuera de mí, no hay ningún dios. [...] No tembléis ni temáis; ¿no lo he dicho y anunciado desde hace tiempo? Vosotros sois testigos; ¿hay otro dios fuera de mí? ¡No hay otra Roca, yo no la conozco!'"   **Isaías 44,6.8**

"De mi boca sale palabra verdadera y no será vana: Que ante mí se doblará toda rodilla y toda lengua jurará diciendo: '¡Sólo en Yahvéh hay victoria y fuerza!'"   **Isaías 45,23b-24a**

Fuente de vida

"Y Yahvéh nos ordenó que pusiéramos en práctica todos estos preceptos, temiendo a Yahvéh nuestro Dios, para que fuéramos felices siempre y nos permitiera vivir como al presente."
Deuteronomio 6,24

"Mira, yo pongo hoy ante ti vida y felicidad, muerte y desgracia. Si escuchas los mandamientos de Yahvéh tu Dios que yo te prescribo hoy, si amas a Yahvéh tu Dios, si sigues sus caminos y guardas sus mandamientos, sus preceptos y sus normas, vivirás y te multiplicarás; Yahvéh tu Dios te bendecirá en la tierra que vas a entrar a poseer."
Deuteronomio 30,15-16

"Pongo hoy por testigos contra vosotros al cielo y a la tierra: te pongo delante la vida o la muerte, la bendición o la maldición. Escoge, pues, la vida, para que vivas, tú y tu descendencia, amando a Yahvéh tu Dios, escuchando su voz, uniéndote a él; pues en eso está tu vida, así como la prolongación de tus días mientras habites en la tierra que Yahvéh juró dar a tus padres Abraham, Isaac y Jacob."
Deuteronomio 30,19-20

"[La sabiduría] es árbol de vida para los que a ella están asidos, felices son los que la abrazan."
Proverbios 3,18

"Atiende, hijo mío, a mis palabras, inclina tu oído a mis razones. No las apartes de tus ojos, guárdalas dentro de tu corazón. Porque son vida para los que las encuentran, y curación para toda carne." **Proverbios 4,20-22**

"En verdad, en verdad os digo: el que escucha mi Palabra y cree en el que me ha enviado, tiene vida eterna y no incurre en juicio, sino que ha pasado de la muerte a la vida." **Juan 5,24**

"Las palabras que os he dicho son espíritu y son vida." **Juan 6,63b**

"Le respondió Simón Pedro: 'Señor, ¿donde quién vamos a ir? Tú tienes palabras de vida eterna.'" **Juan 6,68**

"Este es mi consuelo en mi miseria: que tu promesa me hace vivir." **Salmo 119[118],50**

"Jamás olvidaré tus ordenanzas, por ellas tú me das la vida." **Salmo 119[118],93**

"No son las diversas especies de frutos los que alimentan al hombre, sino que es tu palabra la que mantiene a los que creen en ti." **Sabiduría 16,26b-c**

Fuente de felicidad

"Tal será nuestra justicia: guardar y poner cabalmente en práctica todos estos mandamientos ante Yahvéh nuestro Dios, como él nos ha prescrito." **Deuteronomio 6,25**

"[La sabiduría] es árbol de vida para los que a ella están asidos, felices son los que la abrazan."
Proverbios 3,18

"Ahora pues, hijos, escuchadme: Dichosos los que guardan mis caminos." **Proverbios 8,32**

"El que está atento a la palabra encontrará la dicha, el que confía en Yahvéh será feliz." **Proverbios 16,20**

"¡Dichoso el hombre aquel que no va al consejo de los impíos, ni en la senda de los pecadores se detiene, ni en el banco de los burlones se sienta, mas se complace en la ley de Yahvéh, su ley susurra día y noche!"
Salmo 1,1-2

"Dichosos todos los que temen a Yahvéh, los que van por sus caminos. Del trabajo de tus manos comerás, ¡dichoso tú, que todo te irá bien!" **Salmo 128[127],1-2**

"Dichosos aquellos de camino perfecto, que proceden en la ley de Yahvéh. Dichosos los que guardan sus dictámenes, los que le buscan de todo corazón, y los que, sin cometer iniquidad, andan por sus caminos."

Salmo 119[118],1-3

"Dichoso el hombre que me escucha velando ante mi puerta cada día, guardando las jambas de mi entrada. Porque el que me halla, ha hallado la vida, ha logrado el favor de Yahvéh."

Proverbios 8,34-35

"Él [Jesús] dijo: 'Dichosos más bien los que oyen la Palabra de Dios y la guardan.'"

Lucas 11,28

"En cambio el que considera atentamente la Ley perfecta de la libertad y se mantiene firme, no como oyente olvidadizo sino como cumplidor de ella, ése, practicándola, será feliz."

Santiago 1,25

Fuente de sabiduría

"Tú, en cambio, persevera en lo que aprendiste y en lo que creíste, teniendo presente de quiénes lo aprendiste, y que desde niño conoces las Sagradas Letras, que pueden darte la sabiduría que lleva a la salvación mediante la fe en Cristo Jesús. Toda Escritura es inspirada por Dios y útil para enseñar, para argüir, para corregir y para educar en la justicia; así el hombre de Dios se encuentra perfecto y preparado para toda obra buena." **II Timoteo 3,14-17**

"Si te gusta escuchar, aprenderás, si inclinas tu oído, serás sabio. Acude a la reunión de los ancianos; ¿que hay un sabio?, júntate a él.

[...] Medita en los preceptos del Señor, aplícate sin cesar a sus mandamientos. Él mismo afirmará tu corazón, y se te dará la sabiduría que deseas." **Eclesiástico 6,33-34.37**

"Al abrirse, tus palabras iluminan dando inteligencia a los sencillos." **Salmo 119[118],130**

"Cordura y sabiduría enséñame, pues tengo fe en tus mandamientos." **Salmo 119[118],66**

"Más sabio me haces que mis enemigos, por tu mandamiento que por siempre es mío. Tengo más prudencia que todos mis maestros, porque mi meditación son tus dictámenes. Poseo más cordura que los viejos, porque guardo tus ordenanzas." **Salmo 119[118],98-100**

"Por tus ordenanzas cobro inteligencia, por eso odio toda senda de mentira." **Salmo 119[118],104**

"Yahvéh es el que da la sabiduría, de su boca nacen la ciencia y la prudencia." **Proverbios 2,6**

"Sin embargo, hablamos de sabiduría entre los perfectos, pero no de sabiduría de este mundo ni de los príncipes de este mundo, que se van debilitando; sino que hablamos de una sabiduría de Dios, misteriosa, escondida, destinada por Dios desde antes de los siglos para gloria nuestra, desconocida de todos los príncipes de este mundo – pues de haberla conocido no hubieran crucificado al Señor de la Gloria." **I Corintios 2,6-8**

"Si alguno de vosotros está a falta de sabiduría, que la pida a Dios, que da a todos generosamente y sin echarlo en cara, y se la dará." **Santiago 1,5**

"En cambio la sabiduría que viene de lo alto es, en primer lugar, pura, además pacífica, complaciente, dócil, llena de compasión y buenos frutos, imparcial, sin hipocresía." **Santiago 3,17**

Testamento

"Ahora os encomiendo a Dios y a la Palabra de su gracia, que tiene poder para construir el edificio y daros la herencia con todos los santificados."   **Hechos 20,32**

"Yo te libraré [...] para que les abras los ojos; para que se conviertan de las tinieblas a la luz, y del poder de Satanás a Dios; y para que reciban el perdón de los pecados y una parte en la herencia entre los santificados, mediante la fe en mí."   **Hechos 26,17a.18**

"El Espíritu mismo se une a nuestro espíritu para dar testimonio de que somos hijos de dios. Y, si hijos, también herederos; herederos de Dios y coherederos de Cristo, ya que sufrimos con él, para ser también con él glorificados."   **Romanos 8,16-17**

"Y si sois de Cristo, ya sois descendencia de Abraham, herederos según la Promesa."   **Gálatas 3,29**

"De modo que ya no eres esclavo, sino hijo; y si hijo, también heredero por voluntad de Dios."   **Gálatas 4,7**

"A él, por quien entramos en herencia, elegidos de antemano según el previo designio del que realiza todo conforme a la decisión de su voluntad, para ser nosotros alabanza de su gloria, los que ya antes esperábamos en Cristo.

En él también vosotros, tras haber oído la Palabra de la verdad, la Buena Nueva de vuestra salvación, y creído también en él, fuisteis sellados con el Espíritu Santo de la Promesa, que es prenda de nuestra herencia, para redención del Pueblo de su posesión, para alabanza de su gloria."

Efesios 1,11-14

"Para que el Dios de nuestro Señor Jesucristo, el Padre de la gloria, os conceda espíritu de sabiduría y de revelación para conocerle perfectamente; iluminando los ojos de vuestro corazón para que conozcáis cuál es la esperanza a que habéis sido llamados por él; cuál la riqueza de la gloria otorgada por él en herencia a los santos, y cuál la soberana grandeza de su poder para con nosotros, los creyentes, conforme a la eficacia de su fuerza poderosa."

Efesios 1,17-19

"Gracias al Padre que os ha hecho aptos para participar en la herencia de los santos en la luz."

Colosenses 1,12

"Todo cuanto hagáis, hacedlo de corazón, como para el Señor y no para los hombres, conscientes de que el Señor os dará la herencia en recompensa. El Amo a quien servís es Cristo." **Colosenses 3,23-24**

"Por eso es mediador de una nueva Alianza; para que, interviniendo su muerte para remisión de las transgresiones de la primera Alianza, los que han sido llamados reciban la herencia eterna prometida." **Hebreos 9,15**

"Bendito sea el Dios y Padre de nuestro Señor Jesucristo, quien, por su gran misericordia, mediante la Resurrección de Jesucristo de entre los muertos, nos ha reengendrado a una esperanza viva, a una herencia incorruptible, inmaculada e inmarcesible, reservada en los cielos para vosotros."

I Pedro 1,3-4

"En la casa de mi Padre hay muchas mansiones; si no, os lo habría dicho; porque voy a prepararos un lugar. Y cuando haya ido y os haya preparado un lugar, volveré y os tomaré conmigo, para que donde esté yo estéis también vosotros."

Juan 14,2-3

"Todas las promesas hechas por Dios han tenido su sí en él; y por eso decimos por él 'Amén' a la gloria de Dios."

II Corintios 1,20

"Entonces dirá el Rey a los de su derecha: 'Venid, benditos de mi Padre, recibid la herencia del Reino preparado para vosotros desde la creación del mundo.'"

Mateo 25,34

"No temas, pequeño rebaño, porque a vuestro Padre le ha parecido bien daros a vosotros el Reino."

Lucas 12,32

2

¿Quién es Dios?

Creador

"En el principio creó Dios los cielos y la tierra."
Génesis 1,1

"Y creó Dios el hombre a imagen suya: a imagen de Dios le creó; macho y hembra los creó."
Génesis 1,27

"Aquel día se dirigirá el hombre a su Hacedor, y sus ojos hacia el Santo de Israel mirarán."
Isaías 17,7

"Yo, Yahvéh vuestro Santo, el creador de Israel, vuestro Rey." **Isaías 43,15**

"Él es quien hizo la tierra con su poder, el que estableció el orbe con su saber, y con su inteligencia expandió los cielos."
Jeremías 10,12

"El Dios que hizo el mundo y todo lo que hay en él, que es Señor del cielo y de la tierra, no habita en santuarios fabricados por mano de hombres; ni es servido por manos humanas, como si de algo estuviera necesitado, el que a todos da la vida, el aliento y todas las cosas. Él creó, de un solo principio, todo el linaje humano, para que habitase sobre toda la faz de la tierra y determinó con exactitud el tiempo y los límites del lugar donde habían de habitar."
Hechos 17,24-26

Eterno

"¿Es que no lo sabes? ¿Es que no lo has oído? Que Dios desde siempre es Yahvéh, creador de los confines de la tierra, que no se cansa ni se fatiga, y cuya inteligencia es inescrutable." **Isaías 40,28**

"Yahvéh es el Dios verdadero; es el Dios vivo y el Rey eterno." **Jeremías 10,10a**

"De lejos Yahvéh se le apareció. Con amor eterno te he amado: por eso he reservado gracia para ti." **Jeremías 31,3**

"Y el reino y el imperio y la grandeza de los reinos bajo los cielos todos serán dados al pueblo de los santos del Altísimo. Reino eterno es su reino, y todos los imperios le servirán y le obedecerán." **Daniel 7,27**

"Al Rey de los siglos, al Dios inmortal, invisible y único, honor y gloria por los siglos de los siglos. Amén." **I Timoteo 1,17**

"Toda dádiva buena y todo don perfecto viene de lo alto, desciende del Padre de las luces, en quien no hay cambios ni sombras de rotaciones." **Santiago 1,17**

Omniciente

"No multipliquéis palabras altaneras. No salga de vuestra boca la arrogancia. Dios de sabiduría es Yahvéh, suyo es juzgar las acciones."   **I Samuel 2,3**

"Más bien, como dice la Escritura, anunciamos: lo que ni el ojo vio, ni el oído oyó, ni al corazón del hombre llegó, lo que Dios preparó para los que le aman. Porque a nosotros nos lo reveló Dios por medio del Espíritu; y el Espíritu todo lo sondea, hasta las profundidades de Dios."
                                    I Corintios 2,9-10

"Yahvéh, tú me escrutas y conoces; sabes cuándo me siento y cuándo me levanto, mi pensamiento calas desde lejos; observas si voy de viaje o si me acuesto, familiares te son todas mis sendas.

Que no está aún en mi lengua la palabra, y ya tú, Yahvéh, la conoces entera; me aprietas por detrás y por delante, y tienes puesta sobre mí tu mano. Ciencia es misteriosa para mí, harto alta, no la puedo alcanzar.

[...] Porque tú mis riñones has formado, me has tejido en el vientre de mi madre; yo te doy gracias por tan grandes maravillas: prodigio soy, prodigios son tus obras. Mi alma conocías cabalmente, y mis huesos no se te ocultaban, cuando era yo hecho en lo secreto, tejido en las honduras de la tierra.

Mis acciones tus ojos las veían, todas ellas estaban en tu libro; escritos mis días, señalados, sin que ninguno de ellos existiera. ¡Cuán ardios me son, oh Dios, tus pensamientos, qué incontable su suma! ¡Son más, si los recuento, que la arena, y al terminar, todavía estoy contigo!"

Salmo 139[138],1-6.13-18

"Le dice por tercera vez: 'Simón de Juan, ¿me quieres?' Se entristeció Pedro de que le preguntase por tercera vez: '¿Me quieres?' y le dijo: 'Señor, tú lo sabes todo; tú sabes que te quiero.' Le dice Jesús: 'Apacienta mis ovejas.'"

Juan 21,17

Omnipresente

"¿A dónde iré yo lejos de tu espíritu, a dónde de tu rostro podré huir? Si hasta los cielos subo, allí estás tú, si en el seol me acuesto, allí te encuentras. Si tomo las alas de la aurora, si voy a parar a lo último del mar, también allí tu mano me conduce, tu diestra me aprehende. Aunque diga: '¡Me cubra al menos la tiniebla, y noche sea la luz en torno a mí!', la misma tiniebla no es tenebrosa para ti, y la noche es luminosa como el día."   **Salmo 139[138],7-12**

"¡Para que sepan que sólo tú tienes el nombre de Yahvéh, Altísimo sobre toda la tierra!"   **Salmo 83[82],19**

"Tu espíritu imperecedero está en todas las cosas."
Sabiduría 12,1

"Porque el espíritu del Señor llena el mundo y él, que todo lo mantiene unido, sabe cuanto se habla."

Sabiduría 1,7

Todopoderoso

"El que mora al abrigo de Elyón y se aloja a la sombra de Šadday, dice a Yahvéh: '¡Mi refugio y fortaleza, mi Dios, en quien confío!'" **Salmo 91[90],1-2**

"Cuando Abram tenía noventa y nueve años, se le apareció Yahvéh y le dijo: 'Yo soy Él-Šadday, anda en mi presencia y sé perfecto.'" **Génesis 17,1**

"Habló Dios a Moisés y le dijo: 'Yo soy Yahvéh. Me aparecí a Abraham, a Isaac y a Jacob como Él-Šadday; pero no me di a conocer a ellos con mi nombre de Yahvéh.'" **Éxodo 6,2-3**

"¡Oh sí, feliz el hombre a quien corrige Dios! ¡No desprecies, pues, la lección de Šadday!" **Job 5,17**

"Si vuelves a Šadday con humildad, si alejas de tu tienda la injusticia, si estimas el oro como polvo, el Ofir como guijarros del torrente, Šadday se te hará lingotes de oro y plata a montones para ti. Tendrás entonces en Šadday tus delicias." **Job 22,23-26a**

"¡Es Šadday!, no podemos alcanzarle. Grande en fuerza y equidad, maestro de justicia, sin oprimir a nadie." **Job 37,23**

"Dícele Jesús: 'Si, tú lo has dicho. Y yo os declaro que a partir de ahora veréis al Hijo del hombre sentado a la diestra del Poder y venir sobre las nubes del cielo.'"

Mateo 26,64

"Quien teme al Señor de nada tiene miedo, y no se intimida, porque él es su esperanza. Feliz el alma del que teme al Señor: ¿en quién se sostiene? ¿cuál es su apoyo?"

Eclesiástico 34,14-15

"Yo soy el Alfa y la Omega, dice el Señor Dios, 'Aquel que es, que era y que va a venir', el Todopoderoso."

Apocalipsis 1,8

"Los cuatro Seres tienen cada uno seis alas, están llenos de ojos todo alrededor y por dentro, y repiten sin descanso día y noche: 'Santo, Santo, Santo, Señor, Dios Todopoderoso, Aquel que era, que es y que va a venir.'"

Apocalipsis 4,8

"Te damos gracias, Señor, Dios Todopoderoso, 'Aquel que es y que era', porque has asumido tu inmenso poder para establecer tu reinado." **Apocalipsis 11,17**

"Cantan el cántico de Moisés, siervo de Dios, y el cántico del Cordero, diciendo: 'Grandes y maravillosas son tu obras, Señor, Dios Todopoderoso; justos y verdaderos tus caminos, ¡oh Rey de las naciones!'" **Apocalipsis 15,3**

"Y oí que el altar decía: 'Si, Señor, Dios Todopoderoso, tus juicios son verdaderos y justos.'"

Apocalipsis 16,7

"Y oí como el ruido de muchedumbre inmensa y como el ruido de grandes aguas y como el fragor de fuertes truenos. Y decían: '¡Aleluya! Porque ha establecido su reinado el Señor, nuestro Dios Todopoderoso.'"

Apocalipsis 19,6

"No vi Santuario alguno en ella [en la ciudad santa]; porque el Señor, Dios Todopoderoso, y el Cordero, es su Santuario." **Apocalipsis 21,22**

Espíritu

"Dios es espíritu, y los que adoran, deben adorarle en espíritu y verdad." **Juan 4,24**

"Más bien, como dice la Escritura, anunciamos: lo que ni el ojo vio, ni el oído oyó, ni al corazón del hombre llegó, lo que Dios preparó para los que le aman. Porque a nosotros nos lo reveló Dios por medio del Espíritu; y el Espíritu todo lo sondea, hasta las profundidades de Dios. En efecto, ¿qué hombre conoce lo íntimo del hombre sino el espíritu del hombre que está en él? Del mismo modo, nadie conoce lo íntimo de Dios, sino el Espíritu de Dios." **I Corintios 2,9-11**

"La tierra era algo caótico y vacío, y tinieblas cubrían la superficie del abismo, mientras el espíritu de Dios aleteaba sobre la superficie de las aguas." **Génesis 1,2**

"¿A dónde iré yo lejos de tu espíritu, a dónde de tu rostro podré huir?" **Salmo 139[138],7**

"Reposará sobre él el espíritu de Yahvéh: espíritu de sabiduría e inteligencia, espíritu de consejo y fortaleza, espíritu de ciencia y temor de Yahvéh." **Isaías 11,2**

"El espíritu del Señor Yahvéh está sobre mí, por cuanto que me ha ungido Yahvéh. A anunciar la buena nueva a los pobres me ha enviado, a vendar los corazones rotos; a pregonar a los cautivos la liberación, y a los reclusos la libertad."

Isaías 61,1

"Infundiré mi espíritu en vosotros y haré que os conduzcáis según mis preceptos y observéis y practiquéis mis normas."

Ezequiel 36,27

"Sabréis que yo soy Yahvéh [...] Infundiré mi espíritu en vosotros y viviréis; os estableceré en vuestro suelo, y sabréis que yo; Yahvéh, lo digo y lo hago, oráculo de Yahvéh."

Ezequiel 37,13a.14

"Sucederá después de esto que yo derramaré mi Espíritu en toda carne."

Joel 3,1a

"Respondió Jesús: 'En verdad, en verdad te digo: el que no nazca de agua y de Espíritu no puede entrar en el Reino de Dios. Lo nacido de la carne, es carne; lo nacido del Espíritu, es espíritu.'"

Juan 3,5-6

Santo

"Yo soy Yahvéh, vuestro Dios; santificaos y sed santos, pues yo soy santo." **Levítico 11,44a**

"Yo soy Yahvéh, el que os ha sacado de la tierra de Egipto, para ser vuestro Dios. Sed, pues, santos porque yo soy santo." **Levítico 11,45**

"Habló Yahvéh a Moisés, diciendo: Habla a toda la comunidad de los hijos de Israel y diles: Sed santos, porque yo, Yahvéh, vuestro Dios, soy santo." **Levítico 19,1-2**

"Sed, pues, santos para mí, porque yo, Yahvéh, soy santo, y os he separado de entre los pueblos, para que seáis míos." **Levítico 20,26**

"No hay Santo como Yahvéh, (porque nadie fuera de ti), ni roca como nuestro Dios." **I Samuel 2,2**

"Y se gritaban el uno al otro: 'Santo, santo, santo, Yahvéh Sebaot: llena está toda la tierra de su gloria.'" **Isaías 6,3**

"Dad gritos de gozo y de júbilo, moradores de Sión, que grande es en medio de ti el Santo de Israel." **Isaías 12,6**

"No temas, gusano de Jacob, oruga de Israel: yo te ayudo – oráculo de Yahvéh – y tu redentor es el Santo de Israel." **Isaías 41,14**

"¿Cómo voy a dejarte, Efraím, cómo entregarte, Israel? ¿Voy a dejarte como a Admá, y hacerte semejante a Seboyim? Mi corazón se me revuelve dentro a la vez que mis entrañas se estremecen. No ejecutaré el ardor de mi cólera, no volveré a destruir a Efraím, porque soy Dios, no hombre; en medio de ti yo el Santo, y no me gusta destruir."

Oseas 11,8-9

"Y nosotros creemos y sabemos que tú eres el Santo de Dios." **Juan 6,69**

"Más bien, así como el que os ha llamado es santo, así también vosotros sed santos en toda vuestra conducta, como dice la Escritura: 'Seréis santos, porque santo soy yo.'"

I Pedro 1,15-16

"Los cuatro Seres tienen cada uno seis alas, están llenos de ojos todo alrededor y por dentro, y repiten sin descanso día y noche: 'Santo, santo, santo, Señor, Dios Todopoderoso, Aquel que era, que es y que va a venir.'"

Apocalipsis 4,8

"¿Quién no temerá, Señor, y no glorificará tu nombre? Porque sólo tú eres santo, y todas las naciones vendrán y se postrarán ante ti, porque han quedado de manifiesto tus justos designios." **Apocalipsis 15,4**

"Y oí al Ángel de las aguas que decía: 'Justo eres tú, Aquel que es y que era, el Santo, pues has hecho así justicia.'"

Apocalipsis 16,5

Amor

"Quien no ama no ha conocido a Dios, porque Dios es Amor." **I Juan 4,8**

"Y nosotros hemos conocido el amor que Dios nos tiene, y hemos creído en él. Dios es Amor y quien permanece en el amor permanece en Dios y Dios en él." **I Juan 4,16**

"Dios, rico en misericordia, por el grande amor con que nos amó, estando muertos a causa de nuestros delitos, nos vivificó juntamente con Cristo – por gracia habéis sido salvados." **Efesios 2,4-5**

"Mas la prueba de que Dios nos ama es que Cristo, siendo nosotros todavía pecadores, murió por nosotros." **Romanos 5,8**

"¡Bendito sea el Dios y Padre de nuestro Señor Jesucristo, Padre de las misericordias y Dios de toda consolación!" **II Corintios 1,3**

"Queridos, amémonos unos a otros, ya que el amor es de Dios, y todo el que ama ha nacido de Dios y conoce a Dios." **I Juan 4,7**

Uno y Trino

(Un solo Dios en tres Personas distintas)

"Escucha, Israel: Yahvéh es nuestro Dios, sólo Yahvéh."
Deuteronomio 6,4

"Ved ahora que yo, sólo yo soy, y que no hay otro Dios junto a mí." **Deuteronomio 32,39a**

"Para nosotros no hay más que un solo Dios, el Padre, del cual proceden todas las cosas y para el cual somos."
I Corintios 8,6a

"Un solo Dios y Padre de todos, que está sobre todos, por todos y en todos." **Efesios 4,6**

"Jesús le contestó: 'El primero es: Escucha Israel: el Señor, nuestro Dios, es el único Señor.'"
Marcos 12,29

"Vosotros, pues, orad así: Padre nuestro que estás en los cielos, santificado sea tu Nombre."
Mateo 6,9

"Dícele Jesús: 'Déjame, que todavía no he subido al Padre. Vete donde los hermanos y diles: Subo a mi Padre y vuestro Padre, a mi Dios y vuestro Dios.'"
Juan 20,17

"Ahora bien, respecto del comer lo sacrificado a los ídolos, sabemos que el ídolo no es nada en el mundo y no hay más que un único Dios." **I Corintios 8,4**

"El ángel le respondió: 'El Espíritu Santo vendrá sobre ti y el poder del Altísimo te cubrirá con su sombra; por eso el que ha de nacer será santo y será llamado Hijo de Dios.'" **Lucas 1,35**

"Cuando todo el pueblo estaba bautizándose, bautizado también Jesús y puesto en oración, se abrió el cielo, y bajó sobre él el Espíritu Santo en forma corporal, como una paloma; y vino una voz del cielo: 'Tú eres mi Hijo amado; en ti me complazco.'" **Lucas 3,21-22**

"Si me amáis, guardaréis mis mandamientos; y yo pediré al Padre y os dará otro Paráclito, para que esté con vosotros para siempre." **Juan 14,15-16**

"Cuando venga el Paráclito, el Espíritu de la verdad, que procede del Padre, y que yo os enviaré de junto al Padre, él dará testimonio de mí." **Juan 15,26**

"Id, pues, y haced discípulos a todas las gentes bautizándolas en el nombre del Padre y del Hijo y del Espíritu Santo." **Mateo 28,19**

"La gracia del Señor Jesucristo, el amor de Dios y la comunión del Espíritu Santo sean con todos vosotros." **II Corintios 13,13**

¿Quién es Jesucristo?

Nuestro Salvador

"Tanto amó Dios al mundo que dio a su Hijo único, para que todo el que crea en él no perezca, sino que tenga vida eterna." **Juan 3,16**

"Él nos salvó, no por obras de justicia que hubiésemos hecho nosotros, sino según su misericordia, por medio del baño de regeneración y de renovación del Espíritu Santo, que él derramó sobre nosotros con largueza por medio de Jesucristo nuestro Salvador." **Tito 3,5-6**

"Nosotros hemos visto y damos testimonio de que el Padre envió a su Hijo, para ser salvador del mundo." **I Juan 4,14**

"Ya no creemos por tus palabras; que nosotros mismos hemos oído y sabemos que este es verdaderamente el Salvador del mundo." **Juan 4,42b**

"El Hijo del hombre ha venido a buscar y salvar lo que estaba perdido." **Lucas 19,10**

"Dios no nos ha destinado para la cólera, sino para obtener la salvación por nuestro Señor Jesucristo."
I Tesalonicenses 5,9

"Él es la piedra que vosotros, los constructores, habéis despreciado y que se ha convertido en piedra angular. Porque no hay bajo el cielo otro nombre dado a los hombres por el que nosotros debamos salvarnos." **Hechos 4, 11-12**

"Hay un solo Dios, y también un solo mediador entre Dios y los hombres, Cristo Jesús, hombre también, que se entregó a sí mismo como rescate por todos."
I Timoteo 2,5-6a

"Todo lo soporto por los elegidos, para que también ellos alcancen la salvación que está en Cristo Jesús con la gloria eterna." **II Timoteo 2,10**

"Y llegado a la perfección, se convirtió en causa de salvación eterna para todos los que le obedecen."
Hebreos 5,9

"Os ha nacido hoy, en la ciudad de David, un salvador, que es el Cristo Señor." **Lucas 2,11**

"El Dios de nuestros padres resucitó a Jesús a quien vosotros disteis muerte colgándole de un madero. A éste le ha exaltado Dios con su diestra como Jefe y Salvador, para conceder a Israel la conversión y el perdón de los pecados."

Hechos 5,30-31

"De la descendencia de éste, Dios, según la Promesa, ha suscitado para Israel un Salvador, Jesús."

Hechos 13,23

"Nosotros somos ciudadanos del cielo, de donde esperamos como Salvador al Señor Jesucristo."

Filipenses 3,20

"El marido es cabeza de la mujer, como Cristo es Cabeza de la Iglesia, el salvador del Cuerpo."

Efesios 5,23

"Es cierta y digna de ser aceptada por todos esta afirmación: Si nos fatigamos y luchamos es porque tenemos puesta la esperanza en Dios vivo, que es el Salvador de todos los hombres, principalmente de los creyentes."

I Timoteo 4,9-10

"Dios [...] nos ha salvado y nos ha llamado con una vocación santa, no por nuestras obras, sino por su propia determinación y por su gracia que nos dio desde toda la eternidad en Cristo Jesús, y que se ha manifestado ahora con la Manifestación de nuestro Salvador Cristo Jesús, quien ha destruido la muerte y ha hecho irradiar luz de vida y de inmortalidad por medio del Evangelio."

II Timoteo 1,9-10

Hijo de Dios encarnado

"Vas a concebir en el seno y vas a dar a luz un hijo, a quien pondrás por nombre Jesús. Él será grande y será llamado Hijo del Altísimo, y el Señor Dios le dará el trono de David, su padre; reinará sobre la casa de Jacob por los siglos y su reino no tendrá fin." **Lucas 1,31-33**

"El ángel le respondió: 'El Espíritu Santo vendrá sobre ti y el poder del Altísimo te cubrirá con su sombra; por eso el que ha de nacer será santo y será llamado Hijo de Dios.'"
Lucas 1,35

"Todo esto sucedió para que se cumpliese el oráculo del Señor por medio del profeta: 'Ved que la virgen concebirá y dará a luz un hijo, a quien pondrán por nombre Emmanuel', que traducido significa: 'Dios con nosotros.'"
Mateo 1,22-23

"Al llegar la plenitud de los tiempos, envió Dios a su Hijo, nacido de mujer, nacido bajo la ley, para rescatar a los que se hallaban bajo la ley, y para que recibiéramos la filiación adoptiva." **Gálatas 4,4-5**

"Lo que era imposible a la ley, reducida a la impotencia por la carne, Dios, habiendo enviado a su propio Hijo en una carne semejante a la del pecado, y en orden al pecado, condenó el pecado en la carne, a fin de que la justicia de la ley se cumpliera en nosotros que seguimos una conducta, no según la carne, sino según el espíritu."
Romanos 8,3-4

"Tanto amó Dios al mundo que dio a su Hijo único, para que todo el que crea en él no perezca, sino que tenga vida eterna. Porque Dios no ha enviado a su Hijo al mundo para condenar al mundo, sino para que el mundo se salve por él. El que cree en él, no es condenado; pero el que no cree, ya está condenado, porque no ha creído en el nombre del Hijo único de Dios." **Juan 3,16-18**

"Bautizado Jesús, salió luego del agua; y en esto se abrieron los cielos y vio al Espíritu de Dios que bajaba en forma de paloma y venía sobre él. Y una voz que venía de los cielos decía: 'Este es mi Hijo amado, en quien me complazco.'" **Mateo 3,16-17**

"Y yo le he visto y doy testimonio de que este es el Elegido de Dios." **Juan 1,34**

"Le respondió Natanael: 'Rabbí, tú eres el Hijo de Dios, tú eres el Rey de Israel.'" **Juan 1,49**

"Salían también demonios de muchos, gritando y diciendo: 'Tú eres el Hijo de Dios.' Pero él, les conminaba y nos le permitía hablar, porque sabían que él era el Cristo." **Lucas 4,41**

"Al ver a Jesús, cayó ante él, gritando con gran voz: '¿Qué tengo yo contigo, Jesús, Hijo de Dios Altísimo? Te suplico que no me atormentes.'" **Lucas 8,28**

"Entonces los que estaban en la barca se postraron ante él diciendo: 'Verdaderamente eres Hijo de Dios.'" **Mateo 14,33**

"Simón Pedro le contestó: 'Tú eres el Cristo, el Hijo de Dios vivo.'"   **Mateo 16,16**

"Todavía estaba hablando, cuando una nube luminosa los cubrió, y salió de la nube una voz que decía: 'Este es mi Hijo amado, en quien me complazco; escuchadle.'"
                    Mateo 17,5

"Los judíos le replicaron: 'Nosotros tenemos una Ley y según esa Ley debe morir, porque se tiene por Hijo de Dios.'"   **Juan 19,7**

"¿Cómo decís que aquel a quien el Padre ha santificado y enviado al mundo blasfema por haber dicho: 'Yo soy Hijo de Dios'?"   **Juan 10,36**

"Dijeron todos: 'Entonces, ¿tú eres el Hijo de Dios?' Él les dijo: 'Vosotros lo decís: Yo soy.'"
                    Lucas 22,70

"Por su parte, el centurión y los que con él estaban guardando a Jesús, al ver el terremoto y lo que pasaba, se llenaron de miedo y dijeron: 'Verdaderamente este era Hijo de Dios.'"   **Mateo 27,54**

"[El Evangelio, Dios] había ya prometido por medio de sus profetas en las Escrituras Sagradas, acerca de su Hijo, nacido del linaje de David según la carne, constituido Hijo de Dios con poder, según el Espíritu de santidad, por su resurrección de entre los muertos, Jesucristo Señor nuestro."
                    Romanos 1,2-4

"Y nosotros estamos en comunión con el Padre y con su Hijo, Jesucristo." **I Juan 1,3b**

"Ciertamente, Moisés fue fiel en toda su casa, como servidor, para atestiguar cuanto había de anunciarse, pero Cristo lo fue como hijo, al frente de su propia casa." **Hebreos 3,5-6a**

"¿Quién es el que vence al mundo sino el que cree que Jesús es el Hijo de Dios?" **I Juan 5,5**

"Y en seguida se puso a predicar a Jesús en las sinagogas: que él era el Hijo de Dios." **Hechos 9,20**

"Os hemos dado a conocer el poder y la Venida de nuestro Señor Jesucristo, no siguiendo fábulas ingeniosas, sino después de haber visto con nuestros propios ojos su majestad. Porque recibió de Dios Padre honor y gloria, cuando la sublime Gloria le dirigió esta voz: 'Este es mi Hijo muy amado en quien me complazco.'" **II Pedro 1,16-17**

"Y nosotros hemos visto y damos testimonio de que el Padre envió a su Hijo, para ser salvador del mundo. Quien confiese que Jesús es el Hijo de Dios, Dios permanece en él y él en Dios." **I Juan 4,14-15**

"Sabemos que el Hijo de Dios ha venido y nos ha dado inteligencia para que conozcamos al Verdadero. Nosotros estamos en el Verdadero, en su Hijo Jesucristo. Este es el Dios verdadero y la vida eterna." **I Juan 5,20**

Nuestro Señor

"Sepa, pues, con certeza toda la casa de Israel que Dios ha constituido Señor y Cristo a este Jesús a quien vosotros habéis crucificado."   **Hechos 2,36**

"Y toda lengua confiese que Cristo Jesús es Señor para gloria de Dios Padre."   **Filipenses 2,11**

"Si confiesas con tu boca que Jesús es Señor y crees en tu corazón que Dios le resucitó de entre los muertos, serás salvo."   **Romanos 10,9**

"¿Por qué me llamáis: 'Señor, Señor', y no hacéis lo que digo?"   **Lucas 6,46**

"Si vivimos, para el Señor vivimos; y si morimos, para el Señor morimos. Así que, ya vivamos ya muramos, del Señor somos."   **Romanos 14,8**

"De suerte que el Hijo del hombre también es señor del sábado."   **Marcos 2,28**

"Os ha nacido hoy, en la ciudad de David, un salvador, que es el Cristo Señor."   **Lucas 2,11**

"[Todos] decían: '¡Es verdad! ¡El Señor ha resucitado y se ha aparecido a Simón!'"   **Lucas 24,34**

"Le respondió Simón Pedro: 'Señor, ¿donde quién vamos a ir? Tú tienes palabras de vida eterna.'"

Juan 6,68

"Vosotros me llamáis 'el Maestro' y 'el Señor', y decís bien, porque lo soy. Pues si yo, el Señor y el Maestro, os he lavado los pies, también vosotros debéis lavaros los pies unos a otros."

Juan 13,13-14

"Tomás le contestó: 'Señor mío y Dios mío.'"

Juan 20,28

"Cuando Marta supo que había venido Jesús, le salió al encuentro, mientras María permanecía en casa. Dijo Marta a Jesús: 'Si hubieras estado aquí, no habría muerto mi hermano.'"

Juan 11,20-21

"Mientras le apedreaban, Esteban hacía esta invocación: 'Señor Jesús, recibe mi espíritu.' Después dobló las rodillas y dijo con fuerte voz: 'Señor, no les tengas en cuenta este pecado.' Y diciendo esto, se durmió."

Hechos 7,59-60

"Nosotros creemos más bien que nos salvamos por la gracia del Señor Jesús, del mismo modo que ellos."

Hechos 15,11

"Le respondieron: 'Ten fe en el Señor Jesús y te salvarás tú y tu casa.'"

Hechos 16,31

"Cuando oyeron esto, fueron bautizados en el nombre del Señor Jesús."

Hechos 19,5

"Entonces Pablo contestó: '¿Por qué habéis de llorar y destrozarme el corazón? Pues yo estoy dispuesto no sólo a ser atado, sino a morir también en Jerusalén por el nombre del Señor Jesús.'" **Hechos 21,13**

"No hay distinción entre judío y griego, pues uno mismo es el Señor de todos, rico para todos los que le invocan. Pues todo el que invoque el nombre del Señor se salvará." **Romanos 10,12-13**

"Revestíos más bien del Señor Jesucristo y no os preocupéis de la carne para satisfacer sus concupiscencias." **Romanos 13,14**

"Cristo murió y volvió a la vida para eso, para ser Señor de muertos y vivos." **Romanos 14,9**

"Por eso os hago saber que nadie, hablando por influjo del Espíritu de Dios, puede decir: '¡Anatema es Jesús!'; y nadie puede decir: '¡Jesús es Señor!' sino por influjo del Espíritu Santo." **I Corintios 12,3**

"¡Gracias sean dadas a Dios, que nos da la victoria por nuestro Señor Jesucristo!" **I Corintios 15,57**

"No nos predicamos a nosotros mismos, sino a Cristo Jesús como Señor, y a nosotros como siervos vuestros por Jesús." **II Corintios 4,5**

"Conocéis bien la generosidad de nuestro Señor Jesucristo, el cual, siendo rico, por vosotros se hizo pobre a fin de que os enriquecierais con su pobreza." **II Corintios 8,9**

"Y todo cuanto hagáis, de palabra o de obra, hacedlo todo en el nombre del Señor Jesús, dando gracias por su medio a Dios Padre." **Colosenses 3,17**

"Para que se consoliden vuestros corazones con santidad irreprochable ante Dios, nuestro Padre, en la Venida de nuestro Señor Jesucristo, con todos sus santos." **I Tesalonicenses 3,13**

"Dios no nos ha destinado para la cólera, sino para obtener la salvación por nuestro Señor Jesucristo." **I Tesalonicenses 5,9**

"Te recomiendo [...] que conserves el mandato sin tacha ni culpa hasta la Manifestación de nuestro Señor Jesucristo." **I Timoteo 6,13a-14**

"Dice el que da testimonio de todo esto: 'Sí, pronto vendré.' ¡Amén! ¡Ven, Señor Jesús! Que la gracia del Señor Jesús sea con todos. ¡Amén!" **Apocalipsis 22,20-21**

Nuestro Libertador

"Decía Jesús a los judíos que habían creído en él: 'Si os mantenéis fieles a mi Palabra, seréis verdaderamente mis discípulos, y conoceréis la verdad y la verdad os hará libres.'"

Juan 8,31-32

"Si, pues, el Hijo os da la libertad, seréis realmente libres."

Juan 8,36

"El espíritu del Señor Yahvéh está sobre mí, por cuanto que me ha ungido Yahvéh. A anunciar la buena nueva a los pobres me ha enviado, a vendar los corazones rotos; a pregonar a los cautivos la liberación, y a los reclusos la libertad."

Isaías 61,1

"Yahvéh, mi roca y mi baluarte, mi liberador, mi Dios; la peña en que me amparo, mi escudo y cuerno de mi salvación, mi altura inexpugnable y me refugio."

Salmo 18[17],3

"¡Y yo, pobre y desdichado! ¡Oh Señor, piensa en mí! ¡Tú, mi socorro y mi libertador, oh Dios mío, no tardes!"

Salmo 40[39],18

"Bendito sea Yahvéh [...] él, mi amor y mi baluarte, mi ciudadela y mi libertador, mi escudo en el que me cobijo, el que los pueblos somete a mi poder."

Salmo 144[143],1a.2

"La ley del espíritu que da la vida en Cristo Jesús te liberó de la ley del pecado y de la muerte."

Romanos 8,2

"El Señor es el Espíritu, y donde está el Espíritu del Señor, allí está la libertad."   **II Corintios 3,17**

"Para ser libres nos liberó Cristo. Manteneos, pues, firmes y no os dejéis oprimir nuevamente bajo el yugo de la esclavitud."   **Gálatas 5,1**

Amor de Dios para nosotros

"La prueba de que Dios nos ama es que Cristo, siendo nosotros todavía pecadores, murió por nosotros."
Romanos 5,8

"Tanto amó Dios al mundo que dio a su Hijo único, para que todo el que crea en él no perezca, sino que tenga vida eterna."
Juan 3,16

"En esto se manifestó el amor que Dios nos tiene: en que Dios envió al mundo a su Hijo único para que vivamos por medio de él. En esto consiste el amor: no en que nosotros hayamos amado a Dios, sino en que Él nos amó y nos envió a su Hijo como propiciación por nuestros pecados."
I Juan 4,9-10

"Como el Padre me amó, yo también os he amado a vosotros; permaneced en mi amor [...] Nadie tiene mayor amor que el que da su vida por sus amigos."
Juan 15,9.13

"Que Cristo habite por la fe en vuestros corazones, para que arraigados y cimentados en el amor, podáis comprender con todos los santos cuál es la anchura y la longitud, la altura y la profundidad, y conocer el amor de Cristo, que excede a todo conocimiento, para que os vayáis llenando hasta la total Plenitud de Dios."
Efesios 3,17-19

"El que ha recibido mis mandamientos y los guarda, ese es el que me ama; y el que me ame, será amado de mi Padre; y yo le amaré y me manifestaré a él."

Juan 14,21

"Todavía estaba hablando, cuando una nube luminosa los cubrió, y salió de la nube una voz que decía: 'Este es mi Hijo amado, en quien me complazco: escuchadle.'"

Mateo 17,5

"En esto hemos conocido lo que es amor: en que él dio su vida por nosotros. También nosotros debemos dar la vida por los hermanos." **I Juan 3,16**

"Pues Dios tuvo a bien hacer residir en él toda la Plenitud, y reconciliar por él y para él todas las cosas, pacificando, mediante la sangre de su cruz, lo que hay en la tierra y en los cielos." **Colosenses 1,19-20**

Nuestro perdón

"En él tenemos por medio de su sangre la redención, el perdón de los delitos, según la riqueza de su gracia que ha prodigado sobre nosotros en toda sabiduría e inteligencia."
Efesios 1,7-8

"Hijos míos, os escribo esto para que no pequéis. Pero si alguno peca, tenemos a uno que abogue ante el Padre: a Jesucristo, el justo. Él es víctima de propiciación por nuestros pecados, no sólo por los nuestros, sino también por los del mundo entero." **I Juan 2,1-2**

"Soportándoos unos a otros y perdonándoos mutuamente, si alguno tiene queja contra otro. Como el Señor os perdonó, perdonaos también vosotros."
Colosenses 3,13

"Y a vosotros, que estabais muertos en vuestros delitos y en vuestra carne incircuncisa, os vivificó juntamente con él y nos perdonó todos nuestros delitos."
Colosenses 2,13

"Y este es el mensaje que hemos oído de él y que os anunciamos: Dios es Luz, en Él no hay tiniebla alguna. [...] Pero si caminamos en la luz, como Él mismo está en la luz, estamos en comunión unos con otros, y la sangre de su Hijo Jesús nos purifica de todo pecado."
I Juan 1,5.7

"En esto trajeron donde él un paralítico postrado en una camilla. Viendo Jesús la fe de ellos, dijo al paralítico: '¡Ánimo!, hijo, tus pecados te son perdonados.'"

Mateo 9,2

"Tomó luego un cáliz y, dadas las gracias, se lo dio diciendo: 'Bebed de él todos, porque esta es mi sangre de la Alianza, que va a ser derramada por muchos para remisión de los pecados.'" **Mateo 26,27-28**

"Viendo Jesús la fe de ellos, dijo: 'Hombre, tus pecados te quedan perdonados.'" **Lucas 5,20**

"Al día siguiente ve a Jesús venir hacia él y dice: 'He ahí el Cordero de Dios, que quita el pecado del mundo.'"

Juan 1,29

"Pedro les contestó: 'Convertíos y que cada uno de vosotros se haga bautizar en el nombre de Jesucristo, para remisión de vuestros pecados; y recibiréis el don del Espíritu Santo.'" **Hechos 2,38**

"Por consiguiente, ninguna condenación pesa ya sobre los que están en Cristo Jesús. Porque la ley del espíritu que da la vida en Cristo Jesús te liberó de la ley del pecado y de la muerte." **Romanos 8,1-2**

Nuestra paz

"Porque él [Jesús] es nuestra paz."

Efesios 2,14a

"Un niño nos ha nacido, un hijo se nos ha dado, el señorío reposará en su hombro, y se llamará 'Admirable-Consejero', 'Dios-Poderoso', 'Siempre-Padre', 'Príncipe de Paz.'"

Isaías 9,5

"Y el Dios de la paz aplastará bien pronto a Satanás bajo vuestros pies."

Romanos 16,20a

"Todo cuanto habéis aprendido y recibido y oído y visto en mí, ponedlo por obra y el Dios de la paz estará con vosotros."

Filipenses 4,9

"Habiendo, pues, recibido de la fe nuestra justificación, estamos en paz con Dios, por nuestro Señor Jesucristo."

Romanos 5,1

"Y que la paz de Cristo presida vuestros corazones, pues a ella habéis sido llamados formando un solo Cuerpo. Y sed agradecidos."

Colosenses 3,15

"Os dejo la paz, os doy mi paz; no os la doy como la da el mundo. No se turbe vuestro corazón ni se acobarde."

Juan 14,27

"Os he dicho estas cosas para que tengáis paz en mí. En el mundo tendréis tribulación. Pero ¡ánimo!: yo he vencido al mundo." **Juan 16,33**

"Estaban hablando de estas cosas, cuando él se presentó en medio de ellos y les dijo: 'La paz con vosotros.'" **Lucas 24,36**

"No os inquietéis por cosa alguna; antes bien, en toda ocasión, presentad a Dios vuestras peticiones, mediante la oración y la súplica, acompañadas de la acción de gracias. Y la paz de Dios, que supera todo conocimiento, custodiará vuestros corazones y vuestros pensamientos en Cristo Jesús." **Filipenses 4,6-7**

"Al atardecer de aquel primer día de la semana, estando cerradas, por miedo a los judíos, las puertas del lugar donde se encontraban los discípulos, se presentó Jesús en medio de ellos y les dijo: 'La paz con vosotros.' Dicho esto, les mostró las manos y el costado. Los discípulos se alegraron de ver al Señor. Jesús repitió: 'La paz con vosotros. Como el Padre me envió, también yo os envío.'" **Juan 20,19-21**

"Por tanto, el que está en Cristo, es una nueva creación; pasó lo viejo, todo es nuevo. Y todo proviene de Dios, que nos reconcilió consigo por Cristo y nos confió el ministerio de la reconciliación. Porque en Cristo estaba Dios reconciliando al mundo consigo, no tomando en cuenta las transgresiones de los hombres, sino poniendo en nuestros labios la palabra de la reconciliación." **II Corintios 5,17-19**

Nuestra justicia

"De él os viene que estéis en Cristo Jesús, al cual hizo Dios para nosotros sabiduría, justicia, santificación y redención." **I Corintios 1,30**

"Juzgo que todo es pérdida ante la sublimidad del conocimiento de Cristo Jesús, mi Señor, por quien perdí todas las cosas, y las tengo por basura para ganar a Cristo, y ser hallado en él, no con la justicia mía, la que viene de la Ley, sino la que viene por la fe de Cristo, la justicia que viene de Dios, apoyada en la fe." **Filipenses 3,8b-9**

"Justicia de Dios por la fe en Jesucristo, para todos los que creen – pues no hay diferencia alguna; todos pecaron y están privados de la gloria de Dios – y son justificados por el don de su gracia, en virtud de la redención realizada en Cristo Jesús." **Romanos 3,22-24**

"En efecto, si por el delito de uno solo [Adán] reinó la muerte por un solo hombre ¡con cuánta más razón los que reciben en abundancia la gracia y el don de la justicia, reinarán en la vida por uno solo, por Jesucristo!" **Romanos 5,17**

"Lo que era imposible a la ley, reducida a la impotencia por la carne, Dios, habiendo enviado a su propio Hijo en una carne semejante a la del pecado, y en orden al pecado, condenó el pecado en la carne a fin de que la justicia de la ley se cumpliera en nosotros que seguimos una conducta, no según la carne, sino según el espíritu."

Romanos 8,3-4

"Si confiesas con tu boca que Jesús es Señor y crees en tu corazón que Dios le resucitó de entre los muertos, serás salvo. Pues con el corazón se cree para conseguir la justicia, y con la boca se confiesa para conseguir la salvación."

Romanos 10,9-10

Nuestra seguridad

"Yahvéh será tu tranquilidad y guardará tu pie de caer en el cepo."   **Proverbios 3,26**

"Mis ovejas escuchan mi voz; yo las conozco y ellas me siguen. [...] El Padre, que me las ha dado, es más que todos, y nadie puede arrebatar nada de la mano del Padre."
Juan 10,27.29

"Estoy seguro de que ni la muerte ni la vida ni los ángeles ni los principados ni lo presente ni lo futuro ni las potestades ni la altura ni la profundidad ni otra criatura alguna podrá separarnos del amor de Dios manifestado en Cristo Jesús Señor nuestro."   **Romanos 8,38-39**

"Todo lo que me dé el Padre vendrá a mí, y al que venga a mí no le echaré fuera."   **Juan 6,37**

"Y esta es la voluntad del que me ha enviado: que no pierda nada de lo que él me ha dado, sino que lo resucite el último día."   **Juan 6,39**

"Sí, dicha y gracia me acompañarán todos los días de mi vida; mi morada será la casa de Yahvéh a lo largo de los días."   **Salmo 23[22],6**

"No os dejaré huérfanos: volveré a vosotros."
Juan 14,18

"Y sabed que yo estoy con vosotros todos los días hasta el fin del mundo." **Mateo 28,20b**

"Confiadle todas vuestras preocupaciones, pues él cuida de vosotros." **I Pedro 5,7**

"Él se abraza a mí, yo he de librarle; le exaltaré, pues conoce mi nombre. Me llamará y le responderé; estaré a su lado en la desgracia, le libraré y le glorificaré. Hartura le daré de largos días, y haré que vea mi salvación." **Salmo 91[90],14-16**

"Yo te amo, Yahvéh, mi fortaleza, (mi salvador, que de la violencia me has salvado). Yahvéh, mi roca y mi baluarte, mi liberador, mi Dios; la peña en que me amparo, mi escudo y cuerno de mi salvación, mi altura inexpugnable y mi refugio. Invoco a Yahvéh, que es digno de alabanza, y quedo a salvo de mis enemigos." **Salmo 18[17],2-4**

"Dios es para nosotros refugio y fortaleza, un socorro en la angustia siempre a punto. Por eso no tememos si se altera la tierra, si los montes se conmueven en el fondo de los mares, aunque sus aguas bramen y borboten, y los montes retiemblen a su ímpetu. (¡Con nosotros Yahvéh Sebaot, baluarte para nosotros, el Dios de Jacob!)." **Salmo 46[45],2-4**

"En mi angustia hacia Yahvéh grité, él me respondió y me dio respiro; Yahvéh está por mí, no tengo miedo, ¿qué puede hacerme el hombre? Yahvéh está por mí, entre los que me ayudan, y yo desafío a los que me odian. Mejor es

refugiarse en Yahvéh que confiar en hombre; mejor es refugiarse en Yahvéh que confiar en magnates."

Salmo 118[117],5-9

"No, no duerme ni dormita el guardián de Israel.
Yahvéh, tu guardián, tu sombra, Yahvéh, a tu diestra. De día
el sol no te hará daño, ni la luna de noche. Te guarda Yahvéh
de todo mal, él guarda tu alma; Yahvéh guarda tu salida y
tu entrada, desde ahora y por siempre."

Salmo 121[120],4-8

"Los que confían en Yahvéh son como el monte Sión,
que es inconmovible, estable para siempre."

Salmo 125[124],1

Nuestro hermano

"A todos los que la recibieron les dio poder de hacerse hijos de Dios, a los que creen en su nombre."
Juan 1,12

"Vosotros, pues, orad así: Padre nuestro que estás en los cielos, santificado sea tu Nombre."
Mateo 6,9

"Dícele Jesús: 'Déjame, que todavía no he subido al Padre. Vete donde los hermanos y diles: Subo a mi Padre y vuestro Padre, a mi Dios y vuestro Dios.'"
Juan 20,17

"Todos sois hijos de Dios por la fe en Cristo Jesús."
Gálatas 3,26

"Todo el que cumpla la voluntad de mi Padre celestial, ése es mi hermano, mi hermana y mi madre."
Mateo 12,50

"A los que de antemano conoció, también los predestinó a reproducir la imagen de su Hijo, para que fuera él el primogénito entre muchos hermanos."
Romanos 8,29

"Mirad qué amor nos ha tenido el Padre para llamarnos hijos de Dios, pues ¡lo somos!"   **I Juan 3,1a**

"La prueba de que sois hijos es que Dios ha enviado a nuestros corazones el Espíritu de su Hijo que clama ¡Abbá, Padre! De modo que ya no eres esclavo, sino hijo; y si hijo, también heredero por voluntad de Dios."

Gálatas 4,6-7

"El Espíritu mismo se une a nuestro espíritu para dar testimonio de que somos hijos de Dios. Y, si hijos, también herederos; herederos de Dios y coherederos de Cristo, ya que sufrimos con él, para ser también con él glorificados."

Romanos 8,16-17

"Queridos, ahora somos hijos de Dios y aún no se ha manifestado lo que seremos. Sabemos que, cuando se manifieste, seremos semejantes a Él, porque Le veremos tal cual es." **I Juan 3,2**

Nuestro amigo

"No os llamo ya siervos, porque el siervo no sabe lo que hace su amo; a vosotros os he llamado amigos, porque todo lo que he oído a mi Padre os lo he dado a conocer."

Juan 15,15

"Este es el mandamiento mío: que os améis los unos a los otros como yo os he amado. Nadie tiene mayor amor que el que da su vida por sus amigos. Vosotros sois mis amigos, si hacéis lo que yo os mando."

Juan 15,12-14

"Os digo a vosotros, amigos míos: No temáis a los que matan el cuerpo, y después de esto no pueden hacer más."

Lucas 12,4

"Mira que estoy a la puerta y llamo; si alguno oye mi voz y me abre la puerta, entraré en su casa y cenaré con él y él conmigo."   **Apocalipsis 3,20**

"Jesús le respondió: 'Si alguno me ama, guardará mi Palabra, y mi Padre le amará, y vendremos a él, y haremos morada en él.'"   **Juan 14,23**

"El que ha recibido mis mandamientos y los guarda, ese es el que me ama; y el que me ame, será amado de mi Padre; y yo le amaré y me manifestaré a él."

Juan 14,21

"Donde están dos o tres reunidos en mi nombre, allí estoy en medio de ellos." **Mateo 18,20**

"Fiel es Dios, por quien habéis sido llamados a la unión con su Hijo Jesucristo, Señor nuestro."
I Corintios 1,9

"Lo que hemos visto y oído, os lo anunciamos, para que también vosotros estéis en comunión con nosotros. Y nosotros estamos en comunión con el Padre y con su Hijo, Jesucristo." **I Juan 1,3**

Nuestro ejemplo

"Para esto habéis sido llamados, ya que también Cristo sufrió por vosotros, dejándoos ejemplo para que sigáis sus huellas." **I Pedro 2,21**

"Quien dice que permanece en Él, debe vivir como vivió él." **I Juan 2,6**

"Sed, pues, imitadores de Dios, como hijos queridos, y vivid en el amor como Cristo os amó y se entregó por nosotros como oblación y víctima de suave aroma." **Efesios 5,1-2**

"No ha de ser así entre vosotros; sino que el que quiera llegar a ser grande entre vosotros, será vuestro servidor, y el que quiera ser el primero entre vosotros, será esclavo de todos, que tampoco el Hijo del hombre ha venido a ser servido, sino a servir y a dar su vida como rescate por muchos." **Marcos 10,43-45**

"Si yo, el Señor y el Maestro, os he lavado los pies, también vosotros debéis lavaros los pies unos a otros. Os he dado ejemplo, para que también vosotros hagáis como yo he hecho con vosotros." **Juan 13,14-15**

"Os doy un mandamiento nuevo: que os améis los unos a los otros. Que, como yo os he amado, así os améis también vosotros los unos a los otros." **Juan 13,34**

"En esto hemos conocido lo que es amor: en que él dio su vida por nosotros. También nosotros debemos dar la vida por los hermanos." **I Juan 3,16**

"Y el Dios de la paciencia y del consuelo os conceda tener los unos para con los otros los mismos sentimientos, según Cristo Jesús, para que unánimes, a una voz, glorifiquéis al Dios y Padre de nuestro Señor Jesucristo. Por tanto, acogeos mutuamente como os acogió Cristo para gloria de Dios." **Romanos 15,5-7**

"Soportándoos unos a otros y perdonándoos mutuamente, si alguno tiene queja contra otro. Como el Señor os perdonó, perdonaos también vosotros." **Colosenses 3,13**

Nuestra vida

"En ella estaba la vida y la vida era la luz de los hombres."
Juan 1,4

"Le dice Jesús: 'Yo soy el ·Camino, la Verdad y la Vida. Nadie va al Padre sino por mí.'" **Juan 14,6**

"En verdad, en verdad os digo: el que escucha mi Palabra y cree en el que me ha enviado, tiene vida eterna y no incurre en juicio, sino que ha pasado de la muerte a la vida." **Juan 5,24**

"Y vosotros no queréis venir a mí para tener vida."
Juan 5,40

"Esta es la voluntad de mi Padre: que todo el que vea al Hijo y crea en él, tenga vida eterna y que yo le resucite el último día." **Juan 6,40**

"En verdad, en verdad os digo: el que cree, tiene vida eterna." **Juan 6,47**

"Jesús les dijo: 'En verdad, en verdad os digo: si no coméis la carne del Hjo del hombre, y no bebéis su sangre, no tenéis vida en vosotros. El que come mi carne y bebe mi sangre, tiene vida eterna, y yo le resucitaré el último día.'"
Juan 6,53-54

"Lo mismo que me ha enviado el Padre, que vive, y yo vivo por el Padre, también el que me coma vivirá por mí."
Juan 6,57

"Le respondió Simón Pedro: 'Señor, ¿donde quién vamos a ir? Tú tienes palabras de vida eterna.'"
Juan 6,68

"El ladrón no viene más que a robar, matar y destruir. Yo he venido para que tengan vida y la tengan en abundancia."   **Juan 10,10**

"Mis ovejas escuchan mi voz; yo las conozco y ellas me siguen. Yo les doy vida eterna y no perecerán jamás; nadie las arrebatará de mi mano."   **Juan 10,27-28**

"Jesús le respondió: 'Yo soy la resurrección y la vida. El que cree en mí, aunque muera, vivirá; y todo el que vive y cree en mí, no morirá jamás. ¿Crees esto?'"
                                    Juan 11,25-26

"Jesús realizó en presencia de los discípulos otras muchas señales que no están escritas en este libro. Éstas lo han sido para que creáis que Jesús es el Cristo, el Hijo de Dios, y para que creyendo tengáis vida en su nombre."
                                    Juan 20,30-31

"Aspirad a las cosas de arriba, no a las de la tierra. Porque habéis muerto, y vuestra vida está oculta con Cristo en Dios. Cuando aparezca Cristo, vida vuestra, entonces también vosotros apareceréis gloriosos con él."
                                    Colosenses 3,2-4

"Y este es el testimonio: Dios nos ha dado vida eterna y esta vida está en su Hijo. Quien tiene al Hijo, tiene la vida; quien no tiene al Hijo, no tiene la vida."
                                    I Juan 5,11-12

"Os he escrito estas cosas a los que creéis en el nombre del Hijo de Dios, para que os deis cuenta de que tenéis vida eterna."   **I Juan 5,13**

Nuestro todo

"Y mi Dios proveerá a todas vuestras necesidades con magnificencia, conforme a su riqueza, en Cristo Jesús."
Filipenses 4,19

"Y poderoso es Dios para colmaros de toda gracia a fin de que teniendo, siempre y en todo, todo lo necesario, tengáis aún sobrante para toda obra buena."
II Corintios 9,8

"Bendito sea el Dios y Padre de nuestro Señor Jesucristo, que nos ha bendecido con toda clase de bendiciones espirituales, en los cielos, en Cristo." **Efesios 1,3**

"Por eso os digo: todo cuanto pidáis en la oración, creed que ya lo habéis recibido y lo obtendréis."
Marcos 11,24

"Y todo lo que pidáis en mi nombre, yo lo haré, para que el Padre sea glorificado en el Hijo."
Juan 14,13

"Pedid y se os dará; buscad y hallaréis; llamad y se os abrirá. Porque todo el que pide, recibe; el que busca, halla; y al que llama, se le abrirá." **Mateo 7,7-8**

"Aquel día no me preguntaréis nada. Yo os aseguro: lo que pidáis al Padre en mi nombre, os lo dará. Hasta ahora nada le habéis pedido en mi nombre. Pedid y recibiréis, para que vuestro gozo sea colmado." **Juan 16,23-24**

"Y todo cuanto pidáis con fe en la oración, lo recibiréis."
Mateo 21,22

"Si permanecéis en mí, y mis palabras permanecen en vosotros, pedid lo que queráis y lo conseguiréis."
Juan 15,7

"Y vosotros alcanzáis la plenitud en él, que es la Cabeza de todo Principado y de toda Potestad."
Colosenses 2,10

"Todo lo puedo en Aquel que me conforta."
Filipenses 4,13

"Y cuanto pidamos lo recibimos de Él, porque guardamos sus mandamientos y hacemos lo que Le agrada."
I Juan 3,22

"Les dijo Jesús: 'Yo soy el pan de la vida. El que venga a mí, no tendrá hambre, y el que crea en mí, no tendrá nunca sed.'"
Juan 6,35

"Jesús le respondió: 'Todo el que beba de esta agua, volverá a tener sed; pero el que beba del agua que yo le dé, no tendrá sed jamás, sino que el agua que yo le dé se convertirá en él en fuente de agua que brota para vida eterna.'"
Juan 4,13-14

"Él, que todas tus culpas perdona, que cura todas tus dolencias, rescata tu vida de la fosa, te corona de amor y de ternura, el que harta de bienes tu existencia, mientras tu juventud se renueva como el águila."
Salmo 103[102],3-5

"Yahvéh es mi pastor, nada me falta."
Salmo 23[22],1

"El que no perdonó ni a su propio Hijo, antes bien le entregó por todos nosotros, ¿cómo no nos dará con él graciosamente todas las cosas?" **Romanos 8,32**

"Su divino poder nos ha concedido cuanto se refiere a la vida y a la piedad, mediante el conocimiento perfecto del que nos ha llamado por su propia gloria y virtud, por medio de las cuales nos han sido concedidas las preciosas y sublimes promesas, para que por ellas os hicierais partícipes de la naturaleza divina, huyendo de la corrupción que hay en el mundo por la concupiscencia."
II Pedro 1,3-4

"Más bien, como dice la Escritura, anunciamos: lo que ni el ojo vio, ni el oído oyó, ni al corazón del hombre llegó, lo que Dios preparó para los que le aman."
I Corintios 2,9

4

¿Quién es el Espíritu Santo?

Dios

"En el principio creó Dios los cielos y la tierra. La tierra era algo caótico y vacío, y tinieblas cubrían la superficie del abismo, mientras el espíritu de Dios aleteaba sobre la superficie de las aguas." **Génesis 1,1-2**

"¿No sabéis que sois santuario de Dios y que el Espíritu de Dios habita en vosotros?" **I Corintios 3,16**

"Más bien, como dice la Escritura, anunciamos: lo que ni el ojo vio, ni el oído oyó, ni al corazón del hombre llegó, lo que Dios preparó para los que le aman. Porque a nosotros nos lo reveló Dios por medio del Espíritu; y el Espíritu todo lo sondea, hasta las profundidades de Dios. En efecto, ¿qué

hombre conoce lo íntimo del hombre sino el espíritu del hombre que está en él? Del mismo modo, nadie conoce lo íntimo de Dios, sino el Espíritu de Dios."
I Corintios 2,9-11

"Sabréis que yo soy Yahvéh [...]. Infundiré mi espíritu en vosotros y viveréis; os estableceré en vuestro suelo."
Ezequiel 37,13a.14a

"Sucederá después de esto que yo derramaré mi Espíritu en toda carne. Vuestros hijos y vuestras hijas profetizarán, vuestros ancianos soñarán sueños, y vuestros jóvenes verán visiones." **Joel 3,1**

"Infundiré mi espíritu en vosotros y haré que os conduzcáis según mis preceptos y observéis y practiquéis mis normas. Habitaréis la tierra que yo di a vuestros padres. Vosotros seréis mi pueblo y yo seré vuestro Dios."
Ezequiel 36,27-28

"El espíritu del Señor Yahvéh está sobre mí, por cuanto que me ha ungido Yahvéh. A anunciar la buena nueva a los pobres me ha enviado, a vendar los corazones rotos; a pregonar a los cautivos la liberación, y a los reclusos la libertad."
Isaías 61,1

"Enséñame a cumplir tu voluntad, porque tú eres mi Dios; tu espíritu bueno me guíe por una tierra llana."
Salmo 143[142],10

"El espíritu de Yahvéh habla por mí, su palabra está en mi lengua." **II Samuel 23,2**

"Hay diversidad de carismas, pero el Espíritu es el mismo; diversidad de ministerios, pero el Señor es el mismo; diversidad de operaciones, pero es el mismo el Dios que obra todo en todos." **I Corintios 12,4-6**

"En esto conocemos que permanecemos en Él y Él en nosotros: en que nos ha dado de su Espíritu." **I Juan 4,13**

"Así pues, el que esto desprecia, no desprecia a un hombre, sino a Dios, que os hace don de su Espíritu Santo." **I Tesalonicenses 4,8**

"Pedro le dijo: 'Ananías, ¿cómo es que Satanás llenó tu corazón hasta inducirte a mentir al Espíritu Santo, quedándote con parte del precio del campo? ¿Es que mientras lo tenías no era tuyo, y una vez vendido no podías disponer del precio? ¿Por qué determinaste en tu corazón hacer esto? No has mentido a los hombres, sino a Dios.'" **Hechos 5,3-4**

Fuerza divina*

"Y de igual manera, el Espíritu viene en ayuda de nuestra flaqueza. Pues nosotros no sabemos pedir como conviene; mas el Espíritu mismo intercede por nosotros con gemidos inefables, y el que escruta los corazones conoce cuál es la aspiración del Espíritu, y que su intercesión a favor de los santos es según Dios." **Romanos 8,26-27**

"Sino que recibiréis la fuerza del Espíritu Santo, que vendrá sobre vosotros, y seréis mis testigos en Jerusalén, en toda Judea y Samaría, y hasta los confines de la tierra." **Hechos 1,8**

"Dicho esto, sopló sobre ellos y les dijo: 'Recibid el Espíritu Santo.'" **Juan 20,22**

"Respondió Jesús: 'En verdad, en verdad te digo: el que no nazca de agua y de Espíritu no puede entrar en el Reino de Dios.'" **Juan 3,5**

"El ángel le respondió: 'El espíritu Santo vendrá sobre ti y el poder del Altísimo te cubrirá con su sombra.'" **Lucas 1,35a-b**

"No os embriaguéis con vino, que es causa de libertinaje; llenaos más bien del Espíritu." **Efesios 5,18**

---

* Por la Palabra de Dios, nos enteramos de que el Espíritu Santo no es sólo fuerza y poder de Dios, sino que también es Persona y Dios.

"Por eso os hago saber que nadie, hablando por influjo del Espíritu de Dios, puede decir: '¡Anatema es Jesús!'; y nadie puede decir: '¡Jesús es Señor!' sino por influjo del Espíritu Santo."

I Corintios 12,3

"Jesús, lleno del Espíritu Santo, se volvió del Jordán, y fue llevado por el Espíritu al desierto, donde fue tentado por el diablo durante cuarenta días. No comió nada en aquellos días y, al cabo de ellos, sintió hambre."

Lucas 4,1-2

"Jesus volvió a Galilea por la fuerza del Espíritu, y su fama se extendió por toda la región."

Lucas 4,14

"Cómo Dios a Jesús de Nazaret le ungió con el Espíritu Santo y con poder, y cómo él pasó haciendo el bien y curando a todos los oprimidos por el Diablo, porque Dios estaba con él."

Hechos 10,38

"Al oir esto, sus corazones se consumían de rabia y rechinaban sus dientes contra él. Pero él, lleno del Espíritu Santo, miró fijamente al cielo y vio la gloria de Dios y a Jesús que estaba en pie a la diestra de Dios; y dijo: 'Estoy viendo los cielos abiertos y al Hijo del hombre que está en pie a la diestra de Dios.'"

Hechos 7,54-56

"Estaba Pedro diciendo estas cosas cuando el Espíritu Santo cayó sobre todos los que escuchaban la Palabra. Y los fieles circuncisos que habían venido con Pedro quedaron atónitos al ver que el don del Espíritu Santo había sido derramado también sobre los gentiles, pues les oían hablar en lenguas y glorificar a Dios." **Hechos 10,44-46**

"Había empezado yo a hablar cuando cayó sobre ellos el Espíritu Santo, como al principio había caído sobre nosotros." **Hechos 11,15**

"Por eso doblo mis rodillas ante el Padre [...], para que os conceda, según la riqueza de su gloria, que seáis vigorosamente fortalecidos por la acción de su Espíritu en el hombre interior." **Efesios 3,14.16**

Tercera Persona de la Santísima Trinidad

"A todo el que diga una palabra contra el Hijo del hombre, se le perdonará; pero al que blasfeme contra el Espíritu Santo, no se le perdonará." **Lucas 12,10**

"Cuando os lleven a las sinagogas, ante los magistrados y las autoridades, no os preocupéis de cómo os defenderéis, o qué diréis, porque el Espíritu Santo os enseñará en aquel mismo momento lo que conviene decir." **Lucas 12,11-12**

"El Paráclito, el Espíritu Santo, que el Padre enviará en mi nombre, os lo enseñará todo y os recordará todo lo que yo os he dicho." **Juan 14,26**

"Cuando venga él, el Espíritu de la verdad, os guiará hasta la verdad completa; pues no hablará por su cuenta, sino que hablará lo que oiga, y os anunciará lo que ha de venir. Él me dará gloria, porque recibirá de lo mío y os lo comunicará a vosotros." **Juan 16,13-14**

"¡Duros de cerviz, incircuncisos de corazón y de oídos! ¡Vosotros siempre resistís al Espíritu Santo! ¡Como fueron vuestros padres así sois vosotros!" **Hechos 7,51**

"El Espíritu mismo se une a nuestro espíritu para dar testimonio de que somos hijos de Dios. Y, si hijos, también

herederos; herederos de Dios y coherederos de Cristo, ya que sufrimos con él, para ser también con él glorificados."
Romanos 8,16-17

"Les fue revelado que no administraban en beneficio propio sino en favor vuestro este mensaje que ahora os anuncian quienes os predican el Evangelio, en el Espíritu Santo enviado desde el cielo; mensaje que los ángeles ansían contemplar." **I Pedro 1,12**

"¿Cuánto más grave castigo pensáis que merecerá el que pisoteó al Hijo de Dios, y tuvo como profana la sangre de la Alianza que le santificó, y ultrajó al Espíritu de la gracia?" **Hebreos 10,29**

"En efecto, mediante una sola oblación ha llevado a la perfección para siempre a los santificados. También el Espíritu Santo nos da testimonio de ello."
Hebreos 10,14-15a

"El Espíritu dice claramente que en los últimos tiempos algunos apostatarán de la fe entregándose a espíritus engañadores y a doctrinas diabólicas." **I Timóteo 4,1**

"Tres son los que dan testimonio: el Espíritu, el agua y la sangre, y los tres convienen en lo mismo."
I Juan 5,7-8

"Que hemos decidido el Espíritu Santo y nosotros no imponeros más cargas que éstas indispensables: abstenerse de lo sacrificado a los ídolos, de la sangre, de los animales estrangulados y de la impureza. Haréis bien en guardaros de estas cosas. Adiós." **Hechos 15,28-29**

"El Espíritu y la Novia dicen: '¡Ven!' Y el que oiga, diga: '¡Ven!' Y el que tenga sed, que se acerque, y el que quiera, reciba gratuitamente agua de vida."

Apocalipsis 22,17

"Quedaron todos llenos del Espíritu Santo y se pusieron a hablar en otras lenguas, según el Espíritu les concedía expresarse." **Hechos 2,4**

"No entristezcáis al Espíritu Santo de Dios, con el que fuisteis sellados para el día de la redención."

Efesios 4,30

"Y yo pediré al Padre y os dará otro Paráclito, para que esté con vosotros para siempre, el Espíritu de la verdad, a quien el mundo no puede recibir, porque no le ve ni le conoce. Pero vosotros le conocéis, porque mora con vosotros y en vosotros está." **Juan 14,16-17**

"Id, pues, y haced discípulos a todas las gentes bautizándolas en el nombre del Padre y del Hijo y del Espíritu Santo."

Mateo 28,19

"Mientras estaba comiendo con ellos, les mandó que no se ausentasen de Jerusalén, sino que aguardasen la Promesa del Padre, 'que oísteis de mí: Que Juan bautizó con agua, pero vosotros seréis bautizados en el Espíritu Santo dentro de pocos días." **Hechos 1,4-5**

"Bautizado Jesús, salió luego del agua; y en esto se abrieron los cielos y vio al Espíritu de Dios que bajaba en forma de paloma y venía sobre él. Y una voz que venía de los cielos decía: 'Este es mi Hijo amado, en quien me complazco.'" **Mateo 3,16-17**

"En él también vosotros, tras haber oído la Palabra de la verdad, la Buena Nueva de vuestra salvación, y creído también en él, fuisteis sellados con el Espíritu Santo de la Promesa." **Efesios 1,13**

"El que tenga oídos, oiga lo que el Espíritu dice a las Iglesias: al vencedor le daré a comer del árbol de la vida, que está en el Paraíso de Dios." **Apocalipsis 2,7**

5

Necessidad de salvación

"Bien sé yo que nada bueno habita en mí, es decir, en mi carne; en efecto, querer el bien lo tengo a mi alcance, mas no el realizarlo, puesto que no hago el bien que quiero, sino que obro el mal que no quiero. Y, si hago lo que no quiero, no soy yo quien lo obra, sino el pecado que habita en mí."   **Romanos 7,18-20**

"Me complazco en la ley de Dios según el hombre interior, pero advierto otra ley en mis miembros que lucha contra la ley de mi razón y me esclaviza a la ley del pecado que está en mis miembros. ¡Pobre de mí! ¿Quién me librará de este cuerpo que me lleva a la muerte?"   **Romanos 7,22-24**

"Nuestros crímenes y nuestros pecados pesan sobre nosotros y por causa de ellos nos consumimos."   **Ezequiel 33,10b**

"Mirad, no es demasiado corta la mano de Yahvéh para salvar, ni es duro su oído para oir, sino que vuestras faltas os separaron a vosotros de vuestro Dios."

Isaías 59,1-2a

"Dichoso el hombre a quien Yahvéh no imputa falta, y en cuyo espíritu no hay fraude. Cuando yo me callaba, se sumían mis huesos en mi rugir de cada día, mientras pesaba, día y noche, tu mano sobre mí; mi corazón se alteraba como un campo en los ardores del estío. Mi pecado te reconocí, y no oculté mi culpa; dije: 'Me confesaré a Yahvéh de mis rebeldías.' Y tú absolviste mi culpa, perdonaste mi pecado."

Salmo 32[31],2-5

"Yahvéh, no me corrijas en tu enojo, en tu furor no me castigues. Pues en mí se han clavado tus saetas, ha caído tu mano sobre mí; nada intacto en mi carne por tu furia, nada sano en mis huesos debido a mi pecado. Que mis culpas sobrepasan mi cabeza, como un peso harto grave para mí."

Salmo 38[37],2-5

"Tenme piedad, oh Dios, según tu amor, por tu inmensa ternura borra mi delito, lávame a fondo de mi culpa, y de mi pecado purifícame. Pues mi delito yo lo reconozco, mi pecado sin cesar está ante mí; contra ti, contra ti solo he pecado, lo malo a tus ojos cometí."   **Salmo 51[50],3-6a**

"Derramé mi oración a Yahvéh mi Dios, y le hice esta confesión: '¡Ah, Señor, Dios grande y temible, que guardas la Alianza y el amor a los que te aman y observan tus mandamientos. Nosotros hemos pecado, hemos cometido iniquidad, hemos sido malos, nos hemos rebelado y nos hemos apartado de tus mandamientos y de tus normas. [...] Y no hemos escuchado la voz de Yahvéh nuestro Dios para seguir sus leyes, que él nos había dado por sus siervos los profetas.'"   **Daniel 9,4-5.10**

"En efecto, la cólera de Dios se revela desde el cielo contra la impiedad e injusticia de los hombres que aprisionan la verdad en la injusticia [...]. Llenos de toda injusticia, perversidad, codicia, maldad, henchidos de envidia, de homicidio, de contienda, de engaño, de malignidad, chismosos, detractores, enemigos de Dios, ultrajadores, altaneros, fanfarrones, ingeniosos para el mal, rebeldes a sus padres, insensatos, desleales, desamorados, despiadados, los cuales, aunque conocedores del veredicto de Dios que declara dignos de muerte a los que tales cosas practican, no solamente las practican, sino que aprueban a los que las cometen." **Romanos 1,18.29-32**

"Jesús le respondió: 'En verdad, en verdad te digo: el que no nazca de lo alto no puede ver el Reino de Dios.'"
Juan 3,3

"Todos pecaron y están privados de la gloria de Dios."
Romanos 3,23

"En ellos se cumple la profecía de Isaías: 'Escucharéis bien, pero no entenderéis, miraréis bien, pero no veréis. Porque se ha embotado el corazón de este pueblo, han hecho duros sus oídos, y sus ojos han cerrado; no sea que vean con sus ojos, y con sus oídos oigan, y con su corazón entiendan y se conviertan, y yo los cure.'"
Mateo 13,14-15

"El salario del pecado es la muerte."
Romanos 6,23a

"Por la dureza y la impenitencia de tu corazón vas atesorando contra ti cólera para el día de la cólera y de la revelación del justo juicio de Dios, el cual dará a cada cual según sus obras." **Romanos 2,5-6**

"Las tendencias de la carne son muerte; mas las del espíritu, vida y paz, ya que las tendencias de la carne son contrarias a Dios: no se someten a la ley de Dios, ni siquiera pueden; así, los que están en la carne, no pueden agradar a Dios." **Romanos 8,6-8**

"Hay caminos que parecen rectos, pero, al cabo, son caminos de muerte." **Proverbios 14,12**

"Muchos viven según os dije tantas veces, y ahora os lo repito con lágrimas, como enemigos de la cruz de Cristo, cuyo final es la perdición, cuyo Dios es el vientre, y cuya gloria está en su vergüenza, que no piensan más que en las cosas de la tierra." **Filipenses 3,18-19**

"El que ofrece sacrificios de acción de gracias me da gloria, al hombre recto le mostraré la salvación de Dios."
Salmo 50[49],23

"¡Dios nos tenga piedad y nos bendiga, su rostro haga brillar sobre nosotros! Para que se conozcan en la tierra tus caminos, tu salvación entre todas las naciones."
Salmo 67[66],2-3

"Lejos de los impíos la salvación, pues no van buscando tus preceptos." **Salmo 119[118],155**

"He aquí a Dios mi salvador: estoy seguro y sin miedo, pues Yahvéh es mi fuerza y mi canción, él es mi salvación."
Isaías 12,2

"Dios, pues, pasando por alto los tiempos de la ignorancia, anuncia ahora a los hombres que todos y en todas partes deben convertirse." **Hechos 17,30**

6

Promesas de Dios para nuestra salvación

"Vosotros sois mis testigos – oráculo de Yahvéh – y mis siervos a quienes elegí, para que se me conozca y se me crea por mí mismo, y se entienda que yo soy. Antes de mí no fue formado otro dios, ni después de mí lo habrá. Yo, yo soy Yahvéh, y fuera de mí no hay salvador."

Isaías 43,10-11

"Y sabrá toda carne que yo, Yahvéh, soy el que te salva, y el que te rescata, el Fuerte de Jacob."

Isaías 49,26b

"Y sabrás que yo soy Yahvéh tu Salvador, y el que rescata, el Fuerte de Jacob." **Isaías 60,16b**

"Mirad que Yahvéh hace oir hasta los confines de la tierra: Decid a la hija de Sión: Mira que viene tu Salvador;

mira, su salario le acompaña, y su paga le precede. Se les llamará 'Pueblo Santo', 'Rescatados de Yahvéh'; y a ti se te llamará 'Buscada', 'Ciudad no Abandonada'."

Isaías 62,11-12

"Él [Dios] abate el orgullo de los grandes, pero socorre al que baja los ojos. Él salva al inocente; si son tus manos puras, serás salvo."   **Job 22,29-30**

"Dios, el escudo que me cubre, el salvador de los de recto corazón."   **Salmo 7,11**

"Se me empujó, se me empujó para abatirme, pero Yahvéh vino en mi ayuda; mi fuerza y mi cántico, Yahvéh, él ha sido para mí la salvación."   **Salmo 118[117],13-14**

"Yahvéh es justo en todos sus caminos, en todas sus obras amoroso; cercano está Yahvéh de aquellos que le invocan, de todos los que le invocan con verdad. Él cumple el deseo de aquellos que le temen, escucha su clamor y los libera; guarda Yahvéh a cuantos le aman."

Salmo 145[144],17-20a

"Enjugará el Señor Yahvéh las lágrimas de todos los rostros, y quitará el oprobio de su pueblo de sobre toda la tierra, porque Yahvéh ha hablado. Se dirá aquel día: 'Ahí tenéis a nuestro Dios: esperamos que nos salve; este es Yahvéh en quien esperábamos; nos regocijamos y nos alegramos por su salvación.'"   **Isaías 25,8b-9**

"Diles: 'Por mi vida, oráculo del Señor Yahvéh, que yo no me complazco en la muerte del malvado, sino en que el malvado cambie de conducta y viva. Convertíos, convertíos de vuestra mala conducta. ¿Por qué vais a morir, casa de Israel?"   **Ezequiel 33,11**

"Aquel día se dirá a Jerusalén: ¡No tengas miedo, Sión, no desmayen tus manos! Yahvéh tu Dios está en medio de ti, ¡un poderoso salvador! Él exulta de gozo por ti, te renueva por su amor; danza por ti con gritos de júbilo."
Sofonías 3,16-17

"He aquí que yo salvo a mi pueblo [...]; los voy a traer para que moren en medio de Jerusalén. Y serán mi pueblo y yo seré su Dios con fidelidad y con justicia. [...] Porque hay simiente de paz: la vid dará su fruto, la tierra dará su producto y los cielos darán su rocío; yo daré en posesión al Resto de este pueblo todas estas cosas."
Zacarías 8,7b.8.12

"Dará a luz un hijo a quien pondrás por nombre Jesús, porque él salvará a su pueblo de sus pecados."
Mateo 1,21

"Si alguno quiere venir en pos de mí, niéguese a sí mismo, tome su cruz y sígame. Porque quien quiera salvar su vida, la perderá, pero quien pierda su vida por mís, la encontrará. [...] Porque el Hijo del hombre ha de venir en la gloria de su Padre, con sus ángeles, y entonces pagará a cada uno según su conducta."   **Mateo 16,24b-25.27**

"Y seréis odiados de todos por causa de mi nombre; pero el que persevere hasta el fin, ése se salvará."
Marcos 13,13

"El Hijo del hombre ha venido a buscar y salvar lo que estaba perdido." **Lucas 19,10**

"Y como Moisés levantó la serpiente en el desierto, así tiene que ser levantado el Hijo del hombre, para que todo el que crea tenga por él vida eterna." **Juan 3,14-15**

"Tanto amó Dios al mundo que dio a su Hijo único, para que todo el que crea en él no perezca, sino que tenga vida eterna. Porque Dios no ha enviado a su Hijo al mundo para condenar al mundo, sino para que el mundo se salve por él." **Juan 3,16-17**

"La prueba de que Dios nos ama es que Cristo, siendo nosotros todavía pecadores, murió por nosotros. ¡Con cuánta más razón, pues, justificados ahora por su sangre, seremos por él salvos de la cólera!" **Romanos 5,8-9**

"A éste le ha exaltado Dios con su diestra como Jefe y Salvador, para conceder a Israel la conversión y el perdón de los pecados." **Hechos 5,31**

"De la descendencia de éste, Dios, según la Promesa, ha suscitado para Israel un Salvador, Jesús. [...] Dios la ha cumplido en nosotros, los hijos, al resucitar a Jesús [...]. Tened, pues, entendido, hermanos, que por medio de éste os es anunciado el perdón de los pecados." **Hechos 13,23.33a.38a**

"Ten fe en el Señor Jesús y te salvarás tú y tu casa." **Hechos 16,31b**

"Si cuando éramos enemigos, fuimos reconciliados con Dios por la muerte de su Hijo, ¡con cuánta más razón, estando ya reconciliados, seremos salvos por su vida!"

Romanos 5,10

"En él tenemos por medio de su sangre la redención, el perdón de los delitos, según la riqueza de su gracia que ha prodigado sobre nosotros en toda sabiduría e inteligencia."

Efesios 1,7-8

"Por eso todo lo soporto por los elegidos, para que también ellos alcancen la salvación que está en Cristo Jesús con la gloria eterna. Es cierta esta afirmación: Si hemos muerto con él, también viviremos con él; si nos mantenemos firmes, también reinaremos con él."

II Timoteo 2,10-12a

"No hay bajo el cielo otro nombre dado a los hombres por el que nosotros debamos salvarnos."

Hechos 4,12

Parte II

1

Promesas de Dios para su vida

En situaciones de:

Desánimo

"¡Sed valientes y firmes!, no temáis ni os asustéis ante ellos, porque Yahvéh tu Dios marcha contigo: no te dejará ni te abandonará." **Deuteronomio 31,6**

"Yahvéh, mi luz y mi salvación, ¿a quién he de temer? Yahvéh, el refugio de mi vida, ¿por quién he de temblar? [...] ¡Ay, si estuviera seguro de ver la bondad de Yahvéh en la tierra de los vivos! Espera en Yahvéh, ten valor y afírmese tu corazón, espera en Yahvéh." **Salmo 27[26],1.13-14**

"Espía el impío al justo, y busca darle muerte; en su mano Yahvéh no le abandona, ni deja condenarle al ser juzgado."   **Salmo 37[36],32-33**

"¡Ay de los corazones flacos y las manos caídas, del pecador que va por senda doble!"   **Eclesiástico 2,12**

"Advertid, pues, que de generación en generación todos los que esperan en Él jamás sucumben."
                    I Macabeos 2,61

"Hay quien es débil, necesitado de apoyo, falto de bienes y sobrado de pobreza, mas los ojos del Señor le miran para bien, él le recobra de su humillación. Levanta su cabeza, y por él se admiran muchos."   **Eclesiástico 11,12-13**

"Hasta su hora aguanta el que es paciente, mas después se le brinda contento."   **Eclesiástico 1,23**

"Los jóvenes se cansan, se fatigan, los valientes tropiezan y vacilan, mientras que a los que esperan en Yahvéh él les renovará el vigor, subirán con alas como de águilas, correrán sin fatigarse y andarán sin cansarse."
                    Isaías 40,30-31

"Atribulados en todo, mas no aplastados; perplejos, mas no desesperados; perseguidos, mas no abandonados; derribados, mas no aniquilados. Llevamos siempre en nuestros cuerpos por todas partes el morir de Jesús, a fin de que también la vida de Jesús se manifieste en nuestro cuerpo."   **II Corintios 4,8-10**

"Por lo demás, desde el punto a donde hayamos llegado, sigamos adelante." **Filipenses 3,16**

"¡Mirad, hermanos!, que no haya en ninguno de vosotros un corazón maleado por la incredulidad que le haga apostatar de Dios vivo; antes bien, exhortaos mutuamente cada día mientras dure este hoy, para que ninguno de vosotros se endurezca seducido por el pecado. Pues hemos venido a ser partícipes de Cristo, a condición de que mantengamos firme hasta el fin la segura confianza del principio." **Hebreos 3,12-14**

"No nos cansemos de obrar el bien; que a su tiempo nos vendrá la cosecha si no desfallecemos." **Gálatas 6,9**

"No perdáis ahora vuestra confianza, que lleva consigo una gran recompensa. Necesitáis paciencia en el sufrimiento para cumplir la voluntad de Dios y conseguir así lo prometido." **Hebreos 10,35-36**

"No, Dios no rechaza al íntegro, ni da la mano a los malvados. La risa aún ha de llenar tu boca y tus labios el clamor de júbilo." **Job 8,20-21**

"Si ando en medio de angustias, tú me das la vida, frente a la cólera de mis enemigos, extiendes tu mano y tu diestra me salva." **Salmo 138[137],7**

"Y tú, Israel, siervo mío, [...]; y te dije: 'Siervo mío eres tú, te he escogido y no te he rechazado': No temas, que contigo estoy yo; no receles, que yo soy tu Dios. Yo te he robustecido y te he ayudado, y te tengo asido con mi diestra justiciera." **Isaías 41,8a.9b-10**

"He aquí mi siervo a quien yo sostengo, mi elegido en quien se complace mi alma [...] Yo, Yahvéh, te he llamado en justicia, te así de la mano, te formé." **Isaías 42,1a-b.6a-b**

"Corramos con fortaleza la prueba que se nos propone, fijos los ojos en Jesús, el que inicia y consuma la fe." **Hebreos 12,1b-2a**

"Aun cuando nuestro hombre exterior se va desmoronando, el hombre interior se va renovando de día en día. En efecto, la leve tribulación de un momento nos produce, sobre toda medida, un pesado caudal de gloria eterna." **II Corintios 4,16b-17**

"Fijaos en aquel que soportó tal contradición de parte de los pecadores, para que no desfallezcais faltos de ánimo." **Hebreos 12,3**

"Habéis echado en olvido la exhortación que como a hijos se os dirige: Hijo mío, no menosprecies la corrección del Señor; ni te desanimes al ser reprendido por él. Pues a quien ama el Señor, le corrige; y azota a todos los hijos que acoge. Sufrís para corrección vuestra. Como a hijos os trata Dios, y ¿qué hijo hay a quien su padre no corrige?" **Hebreos 12,5-7**

En situaciones de:

Preocupación

"Por eso os digo: No andéis preocupados por vuestra vida, qué comeréis, ni por vuestro cuerpo, con qué os vestiréis. ¿No vale más la vida que el alimento, y el cuerpo más que el vestido? Mirad las aves del cielo que no siembran, ni cosechan, ni recogen en graneros; y vuestro Padre celestial las alimenta. ¿No valéis vosotros mucho más que ellas?"

Mateo 6,25-26

"Por lo demás, ¿quién de vosotros puede, por más que se preocupe, añadir un codo a la medida de su vida? Y del vestido, ¿por qué preocuparos? Aprended de los lirios del campo, cómo crecen; no se fatigan, ni hilan. Pero yo os digo que ni Salomón, en toda su gloria, se pudo vestir como uno de ellos. Pues si a la hierba del campo, que hoy es y mañana va a ser echada al horno, Dios así la viste, ¿no lo hará mucho más con vosotros, hombres de poca fe?"

Mateo 6,27-30

"No andéis, pues, preocupados diciendo: ¿Qué vamos a comer? ¿qué vamos a beber? ¿con qué nos vamos a vestir? Que por todas esas cosas se afanan los gentiles; y ya sabe vuestro Padre celestial que tenéis necesidad de todo eso. Buscad primero su Reino y su justicia, y todas esas cosas se os darán por añadidura. Así que no os preocupéis del mañana: el mañana se preocupará de sí mismo. Cada día tiene bastante con su inquietud." **Mateo 6,31-34**

"No os inquietéis por cosa alguna; antes bien, en toda ocasión, presentad a Dios vuestras peticiones, mediante la oración y la súplica, acompañadas de la acción de gracias.

Y la paz de Dios, que supera todo conocimiento, custodiará vuestros corazones y vuestros pensamientos en Cristo Jesús."
Filipenses 4,6-7

"Y mi Dios proveerá a todas vuestras necesidades con magnificencia, conforme a su riqueza, en Cristo Jesús."
Filipenses 4,19

"No se turbe vuestro corazón. Creéis en Dios; creed también en mí."
Juan 14,1

"Confiadle [a Dios] todas vuestras preocupaciones, pues él cuida de vosotros."
I Pedro 5,7

"Me acuesto en paz, y enseguida me duermo, pues tú sólo, Yahvéh, me asientas en seguro."
Salmo 4,9

"Cuando os lleven a las sinagogas, ante los magistrados y las autoridades, no os preocupéis de cómo os defenderéis, o qué diréis, porque el Espíritu Santo os enseñará en aquel mismo momento lo que conviene decir."
Lucas 12,11-12

"Mas yo miro hacia Yahvéh, espero en el Dios de mi salvación: mi Dios me escuchará." **Miqueas 7,7**

"Alzo mis ojos a los montes: ¿de dónde vendrá mi auxilio? Mi auxilio, de Yahvéh, que hizo cielos y tierra."
Salmo 121[120],1-2

"Yo soy la vid; vosotros los sarmientos. El que permanece en mí como yo en él, ése da mucho fruto; porque separados de mí no podéis hacer nada." **Juan 15,5**

En situaciones de:

Angustia y Depresión

"No temas, que contigo estoy yo; no receles, que yo soy tu Dios. Yo te he robustecido y te he ayudado, y te tengo asido con mi diestra justiciera." **Isaías 41,10**

"No os dejaré huérfanos: volveré a vosotros."
Juan 14,18

"Ahora, así dice Yahvéh tu creador [...]. 'Si pasas por las aguas, yo estoy contigo, si por los ríos, no te anegarán. Si andas por el fuego, no te quemarás, ni la llama prenderá en ti. [...] Dado que eres precioso a mis ojos, eres estimado, y yo te amo [...]. No temas, que yo estoy contigo.'"
Isaías 43,1a.2.4a.5a

"¿Acaso olvida una mujer a su niño de pecho, sin compadecerse del hijo de sus entrañas? Pues aunque ésas llegasen a olvidar, yo no te olvido. Míralo, en las palmas de mis manos te tengo tatuada." **Isaías 49,15-16a**

"Acampa el ángel de Yahvéh en torno a los que le temen y los libra. Gustad y ved qué bueno es Yahvéh, dichoso el hombre que se cobija en él. Temed a Yahvéh vosotros, santos suyos, que a quienes le temen no les falta nada."
Salmo 34[33],8-10

"Queridos, no os extrañéis del fuego que ha prendido en medio de vosotros para probaros, como si os sucediera algo extraño, sino alegraos en la medida en que participáis en los sufrimientos de Cristo, para que también os alegréis alborozados en la revelación de su gloria. Dichosos de vosotros, si sois injuriados por el nombre de Cristo, pues el Espíritu de gloria, que es el Espíritu de Dios, reposa sobre vosotros."   **I Pedro 4,12-14**

"Él juzga al orbe con justicia, a los pueblos con rectitud sentencia."   **Salmo 9,9**

"¡Tiende hacia mí tu oído, date prisa! Sé para mí una roca de refugio, alcázar fuerte que me salve [...]. Sácame de la red que me han tendido, que tú eres mi refugio [...]. ¡Exulte yo y en tu amor me regocije! Tú que has visto mi miseria, y has conocido las angustias de mi alma."
                                   Salmo 31[30],3.5.8

"He buscado a Yahvéh, y me ha respondido: me ha librado de todos mis temores. Los que miran hacia él, refulgirán: no habrá sonrojo en su semblante. El pobre ha gritado, Yahvéh ha oído, y le salva de todas sus angustias."
                                   Salmo 34[33],5-7

"Ellos gritan, Yahvéh escucha, y los libra de todas sus angustias."   **Salmo 34[33],18**

"Por eso te suplica todo el que te ama en la hora de la angustia. Y aunque las aguas inmensas se desborden, no le alcanzarán. Tú eres un cobijo para mí, de la angustia me guardas, estás en torno a mí para salvarme."
                                   Salmo 32[31],6-7

"Desde allí buscarás a Yahvéh tu Dios; y le encontrarás si le buscas con todo tu corazón y con toda tu alma."
                                   Deuteronomio 4,29

"Clamé a Yahvéh en mi angustia, a mi Dios invoqué, y escuchó mi voz desde su templo, resonó mi llamada en sus oídos." **II Samuel 22,7**

"Mis ojos están fijos en Yahvéh, que él sacará mis pies del cepo. Vuélvete a mí, tenme piedad, que estoy solo y desdichado. Alivia los ahogos de mi corazón, hazme salir de mis angustias." **Salmo 25[24],15-17**

"En el colmo de mis cuitas interiores, tus consuelos recrean mi alma." **Salmo 94[93],19**

"Salmodiad a Yahvéh los que le amáis, alabad su memoria sagrada. De un instante es su cólera, de toda una vida su favor; por la tarde visita de lágrimas, por la mañana gritos de alborozo." **Salmo 30[29],5-6**

"Y de igual manera, el Espíritu viene en ayuda de nuestra flaqueza. Pues nosotros no sabemos pedir como conviene; mas el Espíritu mismo intercede por nosotros con gemidos inefables, y el que escruta los corazones conoce cuál es la aspiración del Espíritu, y que su intercesión a favor de los santos es según Dios." **Romanos 8,26-27**

"Bendito sea aquel que fía en Yahvéh, pues no defraudará Yahvéh su confianza. Es como árbol plantado a las orillas del agua, que a la orilla de la corriente echa sus raíces. No temerá cuando viniere el calor, y estará su follaje frondoso; en año de sequía no se inquieta ni se retrae de dar fruto." **Jeremías 17,7-8**

"Él ha dicho: 'No te dejaré ni te abandonaré', de modo que podamos decir confiados: 'El Señor es mi ayuda; no temeré. ¿Qué puede hacerme el hombre?'"
Hebreos 13,5b-6

En situaciones de:

Tentación

"¡Feliz el hombre que soporta la prueba! Superada la prueba, recibirá la corona de la vida que ha prometido el Señor a los que le aman." **Santiago 1,12**

"No habéis sufrido tentación superior a la medida humana. Y fiel es Dios que no permitirá seáis tentados sobre vuestras fuerzas. Antes bien, con la tentación os dará modo de poderla resistir con éxito." **I Corintios 10,13**

"Someteos, pues, a Dios; resistid al Diablo y él huirá de vosotros. Acercaos a Dios y él se acercará a vosotros. Purificaos, pecadores, las manos; limpiad los corazones, hombres irresolutos. Lamentad vuestra miseria, entristeceos y llorad. Que vuestra risa se cambie en llanto y vuestra alegría en tristeza. Humillaos ante el Señor y él os ensalzará." **Santiago 4,7-10**

"Sed sobrios y velad. Vuestro adversario, el Diablo, ronda como león rugiente, buscando a quién devorar. Resistidle firmes en la fe, sabiendo que vuestros hermanos que están en el mundo soportan los mismos sufrimientos. El Dios de toda gracia, el que os ha llamado a su eterna gloria en Cristo, después de breves sufrimientos, os restablecerá, afianzará, robustecerá y os consolidará." **I Pedro 5,8-10**

"Todo lo que ha nacido de Dios vence al mundo. Y lo que ha conseguido la victoria sobre el mundo es nuestra fe. Pues, ¿quién es el que vence al mundo sino el que cree que Jesús es el Hijo de Dios?" **I Juan 5,4-5**

"Por lo demás, fortaleceos en el Señor y en la fuerza de su poder. Revestíos de las armas de Dios para poder resistir a las asechanzas del Diablo. Porque nuestra lucha nos es contra la carne y la sangre, sino contra los Principados, contra las Potestades, contra los Dominadores de este mundo tenebroso, contra los Espíritus del Mal que están en las alturas." **Efesios 6,10-12**

"No reine, pues, el pecado en vuestro cuerpo mortal de modo que obedezcáis a sus apetencias. Ni ofrezcáis vuestros miembros como armas de injusticia al servicio del pecado; sino más bien ofreceos vosotros mismos a Dios como muertos retornados a la vida; y vuestros miembros, como armas de justicia al servicio de Dios. Pues el pecado no dominará ya sobre vosotros, ya que no estáis bajo la ley sino bajo la gracia." **Romanos 6,12-14**

"Quiero que seáis ingeniosos para el bien e inocentes para el mal. Y el Dios de la paz aplastará bien pronto a Satanás bajo vuestros pies." **Romanos 16,19b-20a**

"¡Mirad, hermanos!, que no haya en ninguno de vosotros un corazón maleado por la incredulidad que le haga apostatar de Dios vivo; antes bien, exhortaos mutuamente cada día mientras dure este hoy, para que ninguno de vosotros se endurezca seducido por el pecado. Pues hemos venido a ser partícipes de Cristo, a condición de que mantengamos firme hasta el fin la segura confianza del principio." **Hebreos 3,12-14**

"El Señor sabe librar de las pruebas a los piadosos y guardar a los impíos para castigarles en el día del Juicio." **II Pedro 2,9**

"En todo esto salimos vencedores gracias a aquel que nos amó." **Romanos 8,37**

En situaciones de:

Necesidad financiera

"No andéis, pues, preocupados diciendo: ¿Qué vamos a comer? ¿qué vamos a beber? ¿con qué nos vamos a vestir? Que por todas esas cosas se afanan los gentiles; y ya sabe vuestro Padre celestial que tenéis necesidad de todo eso. Buscad primero su Reino y su justicia, y todas esas cosas se os darán por añadidura." **Mateo 6,31-33**

"Y vendrán sobre ti y te alcanzarán todas las bendiciones siguientes, por haber obedecido a la voz de Yahvéh tu Dios. Bendito serás en la ciudad y bendito en el campo.

Bendito serás en la ciudad y bendito en el campo. Bendito será el fruto de tus entrañas, el producto de tu suelo, el fruto de tu ganado, el parto de tus vacas y las crías de tus ovejas. Benditas serán tu cesta y tu artesa. Bendito serás cuando entres y bendito cuando salgas. [...] Yahvéh mandará a la bendición que esté contigo, en tus graneros y en tus empresas, y te bendecirá en la tierra que Yahvéh tu Dios te da." **Deuteronomio 28,2-6.8**

"Yahvéh te hara rebosar de bienes: frutos de tus entrañas, frutos de tu ganado, y frutos de tu suelo, en esta tierra que él juró a tus padres que te daría. Yahvéh abrirá para ti los cielos, su rico tesoro, para dar a su tiempo la lluvia necesaria a tu tierra y para bendecir toda obra de tus manos. Prestarás a naciones numerosas, y tú no tendrás que tomar prestado.

Yahvéh te pondrá a la cabeza y no a la zaga; siempre estarás encima y nunca debajo, si escuchas los mandamientos de Yahvéh tu Dios, que yo te prescribo hoy, guardándolos y proniéndolos en práctica." **Deuteronomio 28,11-13**

"Llevad el diezmo íntegro a la casa del tesoro, para que haya alimento en mi Casa; y ponedme así a prueba, dice Yahvéh Sebaot, a ver si no os abro las esclusas del cielo y no vacío sobre vosotros la bendición hasta que ya no quede." **Malaquías 3,10**

"Y mi Dios proveerá a todas vuestras necesidades con magnificencia, conforme a su riqueza, en Cristo Jesús." **Filipenses 4,19**

"No se aparte el libro de esta Ley de tus labios: medítalo día y noche; así procurarás obrar en todo conforme a lo que en él está escrito, y tendrás suerte y éxito en tus empresas." **Josué 1,8**

"O digo esto: El que siembra escasamente, escasamente cosecha; y el que siembra a manos llenas, a manos llenas cosecha. Cada cual dé según el dictamen de su corazón, no de mala gana ni forzado, pues: Dios ama al que da con alegría. Y poderoso es Dios para colmaros de toda gracia a fin de que teniendo, siempre y en todo, todo lo necesario, tengáis aún sobrante para toda obra buena." **II Corintios 9,6-8**

"Honra a Yahvéh con tus riquezas, con las primicias de todas tus ganancias: tus trojes se llenarán de grano y rebosará de mosto tu lagar." **Proverbios 3,9-10**

"Yahvéh conoce los días de los íntegros, su herencia será eterna; no serán confundidos en tiempo de desgracia, en los días de penuria serán hartos." **Salmo 37[36],18-19**

"Temed a Yahvéh vosotros, santos suyos, que a quienes le temen no les falta nada. Los ricos quedan pobres y hambrientos, mas los que buscan a Yahvéh de ningún bien carecen." **Salmo 34[33],10-11**

"Encomienda tus obras a Yahvéh y tus proyectos se llevarán a cabo." **Proverbios 16,3**

"Los ojos de Yahvéh están sobre quienes le temen, sobre aquellos que esperan en su amor, para librar su alma de la muerte, y sostener su vida en la penuria." **Salmo 33[32],18-19**

"Sea vuestra conducta sin avaricia; contentos con lo que tenéis, pues Él ha dicho: 'No te dejaré ni te abandonaré.'" **Hebreos 13,5**

"El hombre de bien deja la herencia a los hijos de sus hijos, la riqueza del pecador se reserva al justo." **Proverbios 13,22**

"A los ricos de este mundo recomiéndales que no sean altaneros ni pongan su esperanza en lo inseguro de las riquezas sino en Dios, que nos provee espléndidamente de todo para que lo disfrutemos." **I Timoteo 6,17**

"Fui joven, ya soy viejo, nunca vi al justo abandonado, ni a su linaje mendigando el pan. [...] Porque Yahvéh ama lo que es justo y no abandona a sus amigos."

Salmo 37[36],25.28a

"Yahvéh es mi pastor, nada me falta."

Salmos 23[22],1

"Dad y se os dará: una medida buena, apretada, remecida hasta rebasar, pondrán en el halda de vuestros vestidos. Porque con la medida con que midáis se os medirá a vosotros."

Lucas 6,38

En situaciones de:

Frustración

"No temas, que contigo estoy yo; no receles, que yo soy tu Dios. Yo te he robustecido y te he ayudado, y te tengo asido con mi diestra justiciera." **Isaías 41,10**

"No os inquietéis por cosa alguna; antes bien, en toda ocasión, presentad a Dios vuestras peticiones, mediante la oración y la súplica, acompañadas de la acción de gracias. Y la paz de Dios, que supera todo conocimiento, custodiará vuestros corazones y vuestros pensamientos en Cristo Jesús." **Filipenses 4,6-7**

"Mi rostro no hurté a los insultos y salivazos. Pues que Yahvéh habría de ayudarme para que no fuese insultado, por eso puse mi cara como el pedernal, a sabiendas de que no quedaría avergonzado. Cerca está el que me justifica: ¿quién disputará conmigo?" **Isaías 50,6c-8a**

"Si Dios está por nosotros ¿quién contra nosotros? El que no perdonó ni a su propio Hijo, antes bien le entregó por todos nosotros, ¿cómo no nos dará con él graciosamente todas las cosas?" **Romanos 8,31b-32**

"Yahvéh frustra el plan de las naciones, hace vanos los proyectos de los pueblos; mas el plan de Yahvéh subsiste para siempre, los proyectos de su corazón por todas las edades." **Salmo 33[32],10-11**

"No se complace el Altísimo en ofrendas de impíos, ni por el cúmulo de víctimas perdona los pecados. Inmola a un hijo a los ojos de su padre quien ofrece víctima a costa de los bienes de los humildes." **Eclesiástico 34,19-20**

"Por esto te recomiendo que reavives el carisma de Dios que está en ti por la imposición de mis manos. Porque no nos dio el Señor a nosotros un espíritu de timidez, sino de fortaleza, de caridad y de templanza."
II Timoteo 1,6-7

"Confiad en Yahvéh por siempre jamás, porque en Yahvéh tenéis una Roca eterna." **Isaías 26,4**

"Someteos, pues, a Dios [...]. Acercaos a Dios y él se acercará a vosotros [...]. Humillaos ante el Señor y él os ensalzará." **Santiago 4,7a.8a.10**

"Confía en Yahvéh de todo corazón y no te apoyes en tu propia inteligencia; reconócele en todos tus caminos y él enderezará tus sendas." **Proverbios 3,5-6**

"Considerad como un gran gozo, hermanos míos, el estar rodeados por toda clase de pruebas [...]. Superada la prueba, recibirá la corona de la vida que ha prometido el Señor a los que le aman." **Santiago 1,2.12b**

"¿Es que no lo sabes? ¿Es que no lo has oído? Que Dios desde siempre es Yahvéh, [...]. Que al cansado da vigor, y al que no tiene fuerzas la energía le acrecienta. [...] Mientras que a los que esperan en Yahvéh él les renovará el vigor."
Isaías 40,28.29.31a

"En esto está la confianza que tenemos en Él: en que si le pedimos algo según su voluntad, nos escucha. Y si sabemos que nos escucha en lo que Le pedimos, sabemos que tenemos conseguido lo que Le hayamos pedido."
I Juan 5,14-15

En situaciones de:

Abandono y Soledad

"¡Sea Yahvéh ciudadela para el oprimido, ciudadela en los tiempos de angustia! Y en ti confíen los que saben tu nombre, pues tú, Yahvéh, no abandonas a los que te buscan." **Salmo 9,10-11**

"Yahvéh no dejará a su pueblo, no abandonará a su heredad [...]. En el colmo de mis cuitas interiores, tus consuelos recrean mi alma." **Salmo 94[93],14.19**

"Tú eres mi auxilio. No me abandones, no me dejes, Dios de mi salvación. Si mi padre y mi madre me abandonan, Yahvéh me acogerá." **Salmo 27[26],9b-c-10**

"Perseguidos, mas no abandonados; derribados, mas no aniquilados." **II Corintios 4,9**

"Pon tu suerte en Yahvéh, confía en él, que él obrará; hará brillar como la luz tu justicia, y tu derecho igual que el mediodía." **Salmo 37[36],5-6**

"Él se abraza a mí, yo he de librarle; le exaltaré, pues conoce mi nombre. Me llamará y le responderé; estaré a su lado en la desgracia, le libraré y le glorificaré." **Salmo 91[90],14-15**

"Él [Dios] ha dicho: 'No te dejaré ni te abandonaré'; de modo que podamos decir confiados: 'El Señor es mi ayuda; no temeré. ¿Qué puede hacerme el hombre?'"
Hebreos 13,5b-6

"Acampa él ángel de Yahvéh en torno a los que le temen y los libra. Gustad y ved qué bueno es Yahvéh, dichoso el hombre que se cobija en él." **Salmo 34[33],8-9**

"El Señor es compasivo y misericordioso, perdona los pecados y salva en la hora de la tribulación. ¡Ay de los corazones flacos y las manos caídas, del pecador que va por senda doble!" **Eclesiástico 2,11-12**

"Yahvéh está por mí, no tengo miedo, ¿qué puede hacerme el hombre? Yahvéh está por mí, entre los que ayudan, y yo desafío a los que me odian."
Salmo 118[117],6-7

"¡Sed valientes y firmes!, no temáis ni os asustéis ante ellos, porque Yahvéh tu Dios marcha contigo: no te dejará ni te abandonará." **Deuteronomio 31,6**

"Desde allí buscarás a Yahvéh tu Dios; y le encontrarás si le buscas con todo tu corazón y con toda tu alma. [...] Porque Yahvéh tu Dios es un Dios misericordioso: no te abandonará ni te destruirá, y no se olvidará de la alianza que con juramento concluyó con tus padres."
Deuteronomio 4,29.31

"Padre de los huérfanos y tutor de las viudas, es Dios en su santa morada; Dios da a los desvalidos el cobijo de una casa, abre a los cautivos la puerta de la dicha, mientras que los rebeldes moran en un suelo de fuego."

Salmo 68[67],6-7

"No os dejaré huérfanos: volveré a vosotros."

Juan 14,18

"Los montes se correrán y las colinas se moverán, mas mi amor de tu lado no se apartará y mi alianza de paz no se moverá – dice Yahvéh, que tiene compasión de ti."

Isaías 54,10

"Los humildes y los pobres buscan agua, pero no hay nada. La lengua se les secó de sed. Yo, Yahvéh, les responderé, Yo, Dios de Israel, no los desampararé."

Isaías 41,17

"Dice Sión: 'Yahvéh me ha abandonado, el Señor me ha olvidado.' ¿Acaso olvida una mujer a su niño de pecho, sin compadecerse del hijo de sus entrañas? Pues aunque ésas llegasen a olvidar, yo no te olvido. Míralo, en las palmas de mis manos te tengo tatuada." **Isaías 49,14-16a**

"Yahvéh no rechazará a su pueblo por el honor de su gran nombre, porque Yahvéh se ha dignado hacer de vosotros su pueblo." **I Samuel 12,22**

"Y sabed que yo estoy con vosotros todos los días hasta el fin del mundo." **Mateo 28,20b**

En situaciones de:

Abatimiento

"¿Por qué, alma mía, desfalleces y te agitas por mí? Espera en Dios: aún le alabaré, ¡salvación de mi rostro y mi Dios!" **Salmo 42[41],6-7a**

"Que así dice el Excelso y Sublime, el que mora por siempre y cuyo nombre es Santo. 'En lo excelso y sagrado yo moro, y estoy también con el humillado y abatido de espíritu, para avivar el espíritu de los abatidos, para avivar el ánimo de los humillados.'" **Isaías 57,15**

"Yahvéh está cerca de los que tienen roto el corazón." **Salmo 34[33],19**

"En mi angustia hacia Yahvéh grité, él me respondió y me dio respiro [...]. Mejor es refugiarse en Yahvéh que confiar en hombre; mejor es refugiarse en Yahvéh que confiar en magnates." **Salmo 118[117],5.8-9**

"¿Qué casa vais a edificarme, o qué lugar para mi reposo, si todo lo hizo mi mano, y es mío todo ello? – Oráculo de Yahvéh –. Y ¿en quién voy a fijarme? En el humilde y contrito que tiembla a mi palabra." **Isaías 66,1b-2**

"En Dios sólo el descanso de mi alma, de él viene mi salvación; sólo él mi roca, mi salvación, mi ciudadela, no he de vacilar." **Salmo 62[61],2-3**

"¡Dad gracias a Yahvéh, porque es bueno [...]. En nuestra humillación se acordó de nosotros, porque es eterno su amor." **Salmo 136[135],1a.23**

"Espera en Yahvéh, ten valor y afírmese tu corazón, espera en Yahvéh." **Salmo 27[26],14**

"Ahora, así dice Yahvéh tu creador, Jacob, tu plasmador, Israel. 'No temas, que yo te he rescatado, te he llamado por tu nombre. Tú eres mío. [...] Dado que eres precioso a mis ojos, eres estimado, y yo te amo. Pondré la humanidad en tu lugar, y los pueblos en pago de tu vida. No temas, que yo estoy contigo.'" **Isaías 43,1.4-5a**

"Que te así desde los cabos de la tierra, y desde lo más remoto te llamé y te dije: 'Siervo mío eres tú, te he escogido y no te he rechazado': No temas, que contigo estoy yo; no receles, que yo soy tu Dios. Yo te he robustecido y te he ayudado, y te tengo asido con mi diestra justiciera." **Isaías 41,9-10**

"Se me empujó, se me empujó para abatirme, pero Yahvéh vino en mi ayuda; mi fuerza y mi cántico, Yahvéh, él ha sido para mí la salvación. [...] No, no he de morir, que viviré, y contaré las obras de Yahvéh." **Salmo 118[117],13-14.17**

"Todo lo puedo en Aquel que me conforta." **Filipenses 4,13**

"Mientras que a los que esperan en Yahvéh él les renovará el vigor, subirán con alas como de águilas, correrán sin fatigarse y andarán sin cansarse." **Isaías 40,31**

"Por eso no desfallecemos. Aun cuando nuestro hombre exterior se va desmoronando, el hombre interior se va renovando de día en día. En efecto, la leve tribulación de un momento nos produce, sobre toda medida, un pesado caudal de gloria eterna, a cuantos no podemos nuestros ojos en las cosas visibles, sino en las invisibles; pues las cosas visibles son pasajeras, mas las invisibles son eternas." **II Corintios 4,16-18**

En situaciones de:

Derrota

"Invoco a Yahvéh, que es digno de alabanza, y quedo a salvo de mis enemigos." **Salmo 18[17],4**

"Él se abraza a mí, yo he de librarle; le exaltaré, pues conoce mi nombre. Me llamará y le responderé; estaré a su lado en la desgracia, le libraré y le glorificaré."
Salmo 91[90],14-15

"El que mora al abrigo de Elyón y se aloja a la sombra de Sadday, dice a Yahvéh: '¡Mi refugio y fortaleza, mi Dios, en quien confío!' Que él te librará de la red del cazador, de la peste funesta; te cubrirá con su plumaje, un refugio hallarás bajo sus alas." **Salmo 91[90],1-4**

"Clamé a Yahvéh en mi angustia, a mi Dios invoqué; y escuchó mi voz desde su Templo, resonó mi llamada en sus oídos. [...] Extiende su mano de lo alto para asirme, para sacarme de las profundas aguas; me libera de un enemigo poderoso, de mis adversarios más fuertes que yo. Me asaltaron el día de mi ruina, mas Yahvéh fue un apoyo para mí; me sacó a espacio abierto, me salvó porque me amaba."
Salmo 18[17],7.17-20

"Y se alegren los que a ti se acogen, se alborocen por siempre; tú los proteges, en ti exultan los que aman tu nombre." **Salmo 5,12**

"No os inquietéis por cosa alguna [...]. Y la paz de Dios, que supera todo conocimiento, custodiará vuestros corazones y vuestros pensamientos en Cristo Jesús."

Filipenses 4,6a-7

"Él iluminará los secretos de las tinieblas y pondrá de manifiesto los designios de los corazones. Entonces recibirá cada cual del Señor la alabanza que le corresponda."

I Corintios 4,5b

"Ante esto ¿qué diremos? Si Dios está por nosotros ¿quién contra nosotros? El que no perdonó ni a su propio Hijo, antes bien le engtregó por todos nosotros, ¿cómo no nos dará con él graciosamente todas las cosas? ¿Quién acusará a los elegidos de Dios? Dios es quien justifica. ¿Quién condenará? ¿Acaso Cristo Jesús, el que murió; más aún el que resucitó, el que está a la diestra de Dios, y que intercede por nosotros?"

Romanos 8,31-34

"Los ojos de Yahvéh están sobre quienes le temen, sobre aquellos que esperan en su amor, para librar su alma de la muerte, y sostener su vida en la penuria."

Salmo 33[32],18-19

"Invócame en el día de la angustia, te libraré y tú me darás gloria."

Salmo 50[49],15

"Tú me liberas de mis enemigos, me exaltas sobre mis agresores, me libras del hombre violento. Por eso he de alabarte entre los pueblos, a tu nombre, oh Yahvéh, salmodiaré."

Salmo 18[17],49-50

"De Yahvéh penden los pasos del hombre, firmes son y su camino le complace; aunque caiga, no se queda postrado, porque Yahvéh la mano le sostiene."

Salmo 37[36],23-24

"No se complace el Altísimo en ofrendas de impíos, ni por el cúmulo de víctimas perdona los pecados. Inmola a un hijo a los ojos de su padre quien ofrece víctima a costa de los bienes de los humildes." **Eclesiástico 34,19-20**

"Se me empujó, se me empujó para abatirme, pero Yahvéh vino en mi ayuda; mi fuerza y mi cántico, Yahvéh, él ha sido para mí la salvación." **Salmo 118[117],13-14**

"Yo, en cambio, a Dios invoco, y Yahvéh me salvará. A la tarde, a la mañana, al mediodía me quejo y gimo: él oirá mi clamor." **Salmo 55[54],17-18**

"¡Gracias sean dadas a Dios, que nos da la victoria por nuestro Señor Jesucristo!" **I Corintios 15,57**

"Todo lo que ha nacido de Dios vence al mundo. Y lo que ha conseguido la victoria sobre el mundo es nuestra fe."

I Juan 5,4

"¿Quién nos separará del amor de Cristo? ¿La tribulación?, ¿la angustia?, ¿la persecución?, ¿el hambre?, ¿la desnudez?, ¿los peligros?, ¿la espada?, como dice la Escritura: 'Por tu causa somos muertos todo el día; tratados como ovejas destinadas al matadero.' Pero en todo esto salimos vencedores gracias a aquel que nos amó." **Romanos 8,35-37**

"Os he dicho estas cosas para que tengáis paz en mí. En el mundo tendréis tribulación. Pero ¡ánimo!: yo he vencido al mundo."   **Juan 16,33**

"Dios es para nosotros refugio y fortaleza, un socorro en la angustia siempre a punto." **Salmo 46[45],2**

"Yahvéh frustra el plan de las naciones, hace vanos los proyectos de los pueblos; mas el plan de Yahvéh subsiste para siempre, los proyectos de su corazón por todas las edades."
Salmo 33[32],10-11

Impaciencia

"Deseamos, no obstante, que cada uno de vosotros manifieste hasta el fin la misma diligencia para la plena realización de la esperanza, de forma que no os hagáis indolentes, sino más bien imitadores de aquellos que, mediante la fe y la perseverancia, heredan las promesas."
Hebreos 6,11-12

"Más aún; nos gloriamos hasta en las tribulaciones, sabiendo que la tribulación engendra la paciencia; la paciencia, virtud probada; la virtud probada, esperanza, y la esperanza no falla, porque el amor de Dios ha sido derramado en nuestros corazones por el Espíritu Santo que nos ha sido dado." **Romanos 5,3-5**

"Considerad como un gran gozo, hermanos míos, el estar rodeados por toda clase de pruebas, sabiendo que la calidad probada de vuestra fe produce la paciencia en el sufrimiento; pero la paciencia ha de ir acompañada de obras perfectas para que seáis perfectos e íntegros sin que dejéis nada que desear." **Santiago 1,2-4**

"No perdáis ahora vuestra confianza, que lleva consigo una gran recompensa. Necesitáis paciencia en el sufrimiento para cumplir la voluntad de Dios y conseguir así lo prometido. Pues todavía un poco, muy poco tiempo; y el que ha de venir vendrá sin tardanza. Mi justo vivirá por la fe."
Hebreos 10,35-38a

"Tened, pues, paciencia, hermanos, hasta la Venida del Señor. Mirad; el labrador espera el fruto precioso de la tierra aguardándolo con paciencia hasta recibir las lluvias tempranas y tardías. Tened también vosotros paciencia; fortaleced vuestros corazones porque la Venida del Señor está cerca." **Santiago 5,7-8**

"En Yavhéh puse toda mi esperanza, él se inclinó hacia mí y escuchó mi clamor. Me sacó de la fosa fatal, del fango cenagoso; asentó mis pies sobre la roca, consolidó mis pasos." **Salmo 40[39],2-3**

"En cambio el fruto del Espíritu es amor, alegría, paz, paciencia, afabilidad, bondad, fidelidad, mansedumbre, templanza." **Gálatas 5,22-23a**

"Bueno es esperar en silencio la salvación de Yahvéh. [...] Porque no desecha para siempre a los humanos el Señor." **Lamentaciones 3,26.31**

"Con vuestra perseverancia salvaréis vuestras almas." **Lucas 21,19**

"El cual dará a cada cual según sus obras: a los que, por la perseverancia en el bien busquen gloria, honor e inmortalidad: vida eterna." **Romanos 2,6-7**

"Se dirá aquel día: 'Ahí tenéis a nuestro Dios: esperamos que nos salve; este es Yahvéh en quien esperábamos; nos regocijamos y nos alegramos por su salvación.'" **Isaías 25,9**

"Ten confianza en Yahvéh y obra el bien, vive en la tierra y crece en paz, ten tus delicias en Yahvéh, y te dará lo que tu corazón desea. Por tu suerte en Yahvéh, confía en él, que él obrará." **Salmo 37[36],3-5**

"Hijo, si te llegas a servir al Señor, prepara tu alma para la prueba. Endereza tu corazón, manténte firme, y no te aceleres en la hora de la adversidad. Adhiérete a él, no te separes, para que seas exaltado en tus postrimerías. Todo lo que te sobrevenga, acéptalo, y en los reveses de tu humillación sé paciente. Porque en el fuego se purifica el oro, y los adeptos de Dios en el horno de la humillación. Confíate a él, y él, a su vez, te cuidará, endereza tus caminos y espera en él." **Eclesiástico 2,1-6**

"No hay confusión para el que espera en ti." **Salmo 25[24],3a**

"¿En qué supera el sabio al necio? ¿En qué, el pobre que sabe vivir su vida? Mejor es lo que los ojos ven que lo que el alma desea. También esto es vanidad y atrapar vientos." **Eclesiastés 6,8-9**

En situaciones de:

Insatisfacción

"No te acalores por causa de los malos, no envidies a los que hacen injusticia. [...] Ten confianza en Yahvéh y obra el bien, vive en la tierra y crece en paz, ten tus delicias en Yahvéh, y te dará lo que tu corazón desea." **Salmo 37[36],1.3-4**

"Así dice Yahvéh que te creó, te plasmó ya en el seno y te da ayuda: 'No temas, siervo mío, Jacob, Yešurún a quien yo elegí. Derramaré agua sobre el sediento suelo, raudales sobre la tierra seca. Derramaré mi espíritu sobre tu linaje, mi bendición sobre cuanto de ti nazca.'"
Isaías 44,2-3

"Bendice a Yahvéh, alma mía, del fondo de mi ser, su santo nombre, bendice a Yahvéh, alma mía, no olvides sus muchos beneficios. Él, que todas tus culpas perdona, que cura todas tus dolencias, rescata tu vida de la fosa, te corona de amor y de ternura, el que harta de bienes tu existencia, mientras tu juventud se renueva como el águila."
Salmo 103[102],1-5

"Sé andar escaso y sobrado. Estoy avezado a todo y en todo: a la saciedad y al hambre; a la abundancia y a la privación. Todo lo puedo en Aquel que me conforta."
Filipenses 4,12-13

"Comeréis en abundancia hasta hartaros, y alabaréis el nombre de Yahvéh vuestro Dios, que hizo con vosotros maravillas. (¡Mi pueblo no será confundido jamás!)"
Joel 2,26

"¡Y tú, Señor Yahvéh, haz conmigo en gracia a tu nombre, porque tu amor es bueno, líbrame! Porque soy pobre y desdichado, se me retuerce dentro el corazón."

Salmo 109[108], 21-22

"He aquí a Dios mi salvador: estoy seguro y sin miedo, pues Yahvéh es mi fuerza y mi canción, él es mi salvación. Sacaréis agua con gozo de los hontanares de salvación."

Isaías 12,2-3

"Hay quien es débil, necesitado de apoyo, falto de bienes y sobrado de pobreza, mas los ojos del Señor le miran para bien, él le recobra de su humillación. Levanta su cabeza, y por él se admiran muchos." **Eclesiástico 11,12-13**

"Bienaventurados los que tienen hambre y sed de justicia, porque ellos serán saciados." **Mateo 5,6**

"La bendición del Señor es la recompensa del piadoso, y en un instante hace florecer su bendición. No digas: '¿De qué he menester? o ¿qué bienes me vendrán todavía?' No digas: 'Tengo bastante con ellos, ¿qué mal puede alcanzarme ahora?'" **Eclesiástico 11,22-24**

En situaciones de:

Condenación

"Por consiguiente, ninguna condenación pesa ya sobre los que están en Cristo Jesús. Porque la ley del espíritu que da la vida en Cristo Jesús te liberó de la ley del pecado y de la muerte." **Romanos 8,1-2**

"El que está en Cristo, es una nueva creación; pasó lo viejo, todo es nuevo." **II Corintios 5,17**

"Dios no ha enviado a su Hijo al mundo para condenar al mundo, sino para que el mundo se salve por él. El que cree en él, no es condenado; pero el que no cree, ya está condenado, porque no ha creído en el nombre del Hijo único de Dios." **Juan 3,17-18**

"En verdad, en verdad os digo: el que escucha mi Palabra y cree en el que me ha enviado, tiene vida eterna y no incurre en juicio, sino que ha pasado de la muerte a la vida." **Juan 5,24**

"Deje el malo su camino, el hombre inicuo sus pensamientos, y vuélvase a Yahvéh, que tendrá compasión de él, a nuestro Dios, que será grande en perdonar." **Isaías 55,7**

"Si reconocemos nuestros pecados, fiel y justo es Él para perdonarnos los pecados y purificarnos de toda injusticia." **I Juan 1,9**

"En mi angustia hacia Yahvéh grité, él me respondió y me dio respiro; Yahvéh está por mí, no tengo miedo, ¿qué puede hacerme el hombre? Yahvéh está por mí, entre los que me ayudan, y yo desafío a los que me odian. Mejor es refugiarse en Yahvéh que confiar en hombre; mejor es refugiarse en Yahvéh que confiar en magnates."

Salmo 118[117],5-9

"La salvación de los justos viene de Yahvéh, él su refugio en tiempo de angustia; Yahvéh los ayuda y los libera, los salva porque en él se cobijan." **Salmo 37[36],39-40**

"Queridos, no os extrañéis del fuego que ha prendido en medio de vosotros para probaros, como si os sucediera algo extraño, sino alegraos en la medida en que participáis en los sufrimientos de Cristo, para que también os alegréis alborozados en la revelación de su gloria."

I Pedro 4,12-13

"Se me empujó, se me empujó para abatirme, pero Yahvéh vino en mi ayuda; mi fuerza y mi cántico, Yahvéh, él ha sido para mí la salvación." **Salmo 118[117],13-14**

"El bueno obtiene el favor de Yahvéh; pero él condena al hombre astuto." **Proverbios 12,2**

"¿Quién acusará a los elegidos de Dios? Dios es quien justifica. ¿Quién condenará? ¿Acaso Cristo Jesús, el que murió; más aún el que resucitó, el que está a la diestra de Dios, y que intercede por nosotros?"

Romanos 8,33-34

"Oí entonces una fuerte voz que decía en el cielo: 'Ahora ya ha llegado la salvación, el poder y el reinado de nuestro Dios y la potestad de su Cristo, porque ha sido arrojado el acusador de nuestros hermanos, el que los acusaba día y noche delante de nuestro Dios. Ellos le vencieron gracias a la sangre del Cordero y a la palabra del testimonio que dieron, porque no amaron su vida ante la muerte.'"

Apocalipsis 12,10-11

"Jesús le dijo: 'Tampoco yo te condeno.Vete, y en adelante no peques más.'"   **Juan 8,11b**

"Ya no tendrán que adoctrinar más el uno a su prójimo y el otro a su hermano, diciendo: 'Conoced a Yahvéh', pues todos ellos me conocerán del más chico al más grande – oráculo de Yahvéh – cuando perdone su culpa, y de su pecado no vuelva a acordarme."   **Jeremías 31,34**

"Si os volvéis a Yahvéh, vuestros hermanos y vuestros hijos hallarán misericordia ante aquellos que los llevaron cautivos, y volverán a esta tierra, pues Yahvéh vuestro Dios es clemente y misericordioso, y no apartará de vosotros su rostro, si vosotros os convertís a él."

II Crónicas 30,9

"El espíritu del Señor Yahvéh está sobre mí, por cuanto que me ha ungido Yahvéh. A anunciar la buena nueva a los pobres me ha enviado, a vendar los corazones rotos; a pregonar a los cautivos la liberación, y a los reclusos la libertad."

Isaías 61,1

"Yahvéh rescata el alma de sus siervos, nada habrán de pagar los que en él se cobijan."   **Salmo 34[33],23**

"Espía el impío al justo, y busca darle muerte; en su mano Yahvéh no le abandona, ni deja condenarle al ser juzgado."

Salmo 37[36],32-33

"Ningún arma forjada contra ti tendrá éxito, e impugnarás a toda lengua que se levante a juicio contigo. Tal será la heredad de los siervos de Yahvéh y las victorias que alcanzarán por mí – oráculo de Yahvéh."

Isaías 54,17

"Invócame en el día de la angustia, te libraré y tú me darás gloria."

Salmo 50[49],15

En situaciones de:

Confusión

"Dios no es un Dios de confusión, sino de paz."
I Corintios 14,33

"En Yahvéh puse toda mi esperanza, él se inclinó hacia mí y escuchó mi clamor. Me sacó de la fosa fatal, del fango cenagoso; asentó mis pies sobre la roca, consolidó mis pasos. Puso en mi boca un canto nuevo, una alabanza a nuestro Dios."
Salmo 40[39],2-4a

"Mirad a las generaciones de antaño y ved: ¿Quién se confió al Señor y quedó confundido? ¿Quién perseveró en su temor y quedó abandonado? ¿Quién le invocó y fue desatendido?"
Eclesiástico 2,10

"Nuestro socorro en el nombre de Yahvéh, que hizo cielos y tierra."
Salmo 124[123],8

"Donde existen envidias y espíritu de contienda, allí hay desconcierto y toda clase de maldad. En cambio la sabiduría que viene de lo alto es, en primer lugar, pura, además pacífica, complaciente, dócil, llena de compasión y buenos frutos, imparcial, sin hipocresía. Frutos de justicia se siembran en la paz para los que procuran la paz."
Santiago 3,16-18

"Si alguno de vosotros está a falta de sabiduría, que la pida a Dios, que da a todos generosamente y sin echarlo en cara, y se la dará."
Santiago 1,5

"Confía en Yahvéh de todo corazón y no te apoyes en tu propia inteligencia; reconócele en todos tus caminos y él enderezará tus sendas." **Proverbios 3,5-6**

"El Dios de toda gracia, el que os ha llamado a su eterna gloria en Cristo, después de breves sufrimientos, os restablecerá, afianzará, robustecerá y os consolidará." **I Pedro 5,10**

"Y tú, Israel, siervo mío [...], [a quien yo dije]: 'Siervo mío eres tú, te he escogido y no te he rechazado': No temas, que contigo estoy yo; no receles, que yo soy tu Dios. Yo te he robustecido y te he ayudado, y te tengo asido con mi diestra justiciera." **Isaías 41,8a.9b-10**

"Dice la Escritura: 'Todo el que cree en él no será confundido.' Que no hay distinción entre judío y griego, pues uno mismo es el Señor de todos, rico para todos los que le invocan. Pues todo el que invoque el nombre del Señor se salvará." **Romanos 10,11-13**

"Descarga en Yahvéh tu peso, y él te sustentará; no dejará que para siempre zozobre el justo." **Salmo 55[54],23**

"Si pasas por las aguas, yo estoy contigo, si por los ríos, no te anegarán. Si andas por el fuego, no te quemarás, ni la llama prenderá en ti. Porque yo soy Yahvéh tu Dios, el Santo de Israel, tu salvador." **Isaías 43,2-3a**

"Y con tus oídos oirás detrás de ti estas palabras: 'Ese es el camino, id por él', ya sea a la derecha, ya a la izquierda." **Isaías 30,21**

"No les tengáis miedo. Pues no hay nada encubierto que no haya de ser descubierto, ni oculto que no haya de saberse." **Mateo 10,26**

En situaciones de:

Perturbación y Angustia

"No se turbe vuestro corazón. Creéis en Dios; creed también en mí. [...] Os dejo la paz, os doy mi paz; no os la doy como la da el mundo. No se turbe vuestro corazón ni se acobarde."   **Juan 14,1.27**

"Mucha es la paz de los que aman tu ley, no hay tropiezo para ellos."   **Salmo 119[118],165**

"Los que miran hacia él, refulgirán: no habrá sonrojo en su semblante. El pobre ha gritado, Yahvéh ha oído, y le salva de todas sus angustias."   **Salmo 34[33],6-7**

"Dios es para nosotros refugio y fortaleza, un socorro en la angustia siempre a punto. Por eso no tememos si se altera la tierra, si los montes se conmueven en el fondo de los mares, aunque sus aguas bramen y borboten, y los montes retiemblen a su ímpetu."   **Salmo 46[45],2-4**

"Atribulados en todo, mas no aplastados; perplejos, mas no desesperados; perseguidos, mas no abandonados; derribados, mas no aniquilados. [...] Sabiendo que quien resucitó al Señor Jesús, también nos resucitará con Jesús y nos presentará ante él juntamente con vosotros. [...] Por eso no desfallecemos. Aun cuando nuestro hombre exterior se va desmoronando, el hombre interior se va renovando de día en día."   **II Corintios 4,8-9.14.16**

"¡Oh sí, feliz el hombre a quien corrige Dios! ¡No desprecies, pues, la lección de Šadday! Pues él es el que hiere y el que venda la herida, el que llaga y luego cura con su mano; seis veces ha de librarte de la angustia, y a la séptima el mal no te alcanzará." **Job 5,17-19**

"Y hacia Yahvéh gritaron en su apuro, y él los salvó de sus angustias." **Salmo 107[106],19**

"Bueno es Yahvéh para el que en él espera, un refugio en el día de la angustia; él conoce a los que a él se acogen." **Nahúm 1,7**

"Por lo demás, sabemos que en todas las cosas interviene Dios para bien de los que le aman; de aquellos que han sido llamados según su designio." **Romanos 8,28**

"No os inquietéis por cosa alguna; antes bien, en toda ocasión, presentad a Dios vuestras peticiones, mediante la oración y la súplica, acompañadas de la acción de gracias. Y la paz de Dios, que supera todo conocimiento, custodiará vuestros corazones y vuestros pensamientos en Cristo Jesús." **Filipenses 4,6-7**

"En efecto, la leve tribulación de un momento nos produce, sobre toda medida, un pesado caudal de gloria eterna, a cuantos no ponemos nuestros ojos en las cosas visibles, sino en las invisibles; pues las cosas visibles son pasajeras, mas las invisibles son eternas." **II Corintios 4,17-18**

En situaciones de:

Enfermedad

"¿Está enfermo alguno entre vosotros? Llame a los presbíteros de la Iglesia, que oren sobre él y le unjan con óleo en el nombre del Señor. Y la oración de la fe salvará al enfermo, y el Señor hará que se levante, y si hubiera cometido pecados, le serán perdonados." **Santiago 5,14-15**

"Y dijo: 'Si de veras escuchas la voz de Yahvéh, tu Dios, y haces lo que es recto a sus ojos, dando oídos a sus mandatos y guardando todos sus preceptos, no traeré sobre ti ninguna de las plagas que envié sobre los egipcios; porque Yo soy Yahvéh, el que te sana.'" **Éxodo 15,26**

"Esperanza de Israel, Yahvéh: todos los que te abandonan serán avergonzados, y los que se apartan de ti de la tierra serán borrados, por haber abandonado el manantial de aguas vivas. Cúrame, Yahvéh, y sea yo curado; sálvame, y sea yo salvo, pues mi prez eres tú." **Jeremías 17,13-14**

"Toda la gente procuraba tocarle, porque salía de él una fuerza que sanaba a todos." **Lucas 6,19**

"¿Por qué te quejas de tu quebranto? Irremediable es tu sufrimiento; por tu gran culpa, por ser enormes tus pecados te he hecho esto. [...] Si; haré que tengas alivio, de tus llagas te curaré." **Jeremías 30,15.17a**

"Ni les curó hierba ni emplasto alguno, sino tu palabra, Señor, que todo lo sana." **Sabiduría 16,12**

"A tu pueblo, por el contrario, le alimentaste con manjar de ángeles; les enviaste sin cesar desde el cielo un pan ya preparado que podía brindar todas las delicias y satisfacer todos los gustos. [...] De este modo enseñabas a tus hijos queridos, Señor, que no son las diversas especies de frutos los que alimentan al hombre, sino que es tu palabra la que mantiene a los que creen en ti." **Sabiduría 16,20.26**

"Venid, volvamos a Yahvéh, que él ha desgarrado y él nos curará, él ha herido y él nos vendará."
Oseas 6,1

"Atiende, hijo mío, a mis palabras, inclina tu oído a mis razones. No las apartes de tus ojos, guárdalas dentro de tu corazón. Porque son vida para los que las encuentran, y curación para toda carne." **Proverbios 4,20-22**

"Hijo, en tu enfermedad, no seas negligente, sino ruega al Señor, que él te curará. Aparta las faltas, endereza tus manos, y de todo pecado purifica el corazón."
Eclesiástico 38,9-10

"El mismo que, sobre el madero, llevó nuestros pecados en su cuerpo, a fin de que, muertos a nuestros pecados, viviéramos para la justicia; con cuyas heridas habéis sido curados." **I Pedro 2,24**

"Bendice a Yahvéh, alma mía, no olvides sus muchos beneficios. Él, que todas tus culpas perdona, que cura todas tus dolencias, rescata tu vida de la fosa, te corona de amor y de ternura." **Salmo 103[102],2-4**

"¡Y con todo eran nuestras dolencias las que él llevaba y nuestros dolores los que soportaba! Nosotros le tuvimos por azotado, herido de Dios y humillado. Él ha sido herido por nuestras rebeldías, molido por nuestras culpas. Él soportó el castigo que nos trae la paz, y con sus cardenales hemos sido curados." **Isaías 53,4-5**

"Y hacia Yahvéh gritaron en su apuro, y él los salvó de sus angustias; su palabra envió para sanarlos y arrancar sus vidas de la fosa." **Salmo 107[106],19-20**

"Por eso os digo: todo cuanto pidáis en la oración, creed que ya lo habéis recibido y lo obtendréis. Y cuando os pongáis de pie para orar, perdonad, si tenéis algo contra alguno, para también vuestro Padre, que está en los cielos, os perdone vuestras ofensas." **Marcos 11,24-25**

"Jesús le dijo: '¡Qué es eso de si puedes! ¡Todo es posible para quien cree!' Al instante, gritó el padre del muchacho: '¡Creo, ayuda a mi poca fe!'" **Marcos 9,23-24**

"Estas son las señales que acompañarán a los que crean: en mi nombre expulsarán demonios, hablarán en lenguas nuevas, tomarán serpientes en sus manos y aunque beban veneno no les hará daño; impondrán las manos sobre los enfermos y se pondrán bien." **Marcos 16,17-18**

En situaciones de:

Miedo

"Os dejo la paz, os doy mi paz; no os la doy como la da el mundo. No se turbe vuestro corazón ni se acobarde."
Juan 14,27

"Me acuesto en paz, y enseguida me duermo, pues tú sólo, Yahvéh, me asientas en seguro."
Salmo 4,9

"No nos dio el Señor a nosotros un espíritu de timidez, sino de fortaleza, de caridad y de templanza."
II Timoteo 1,7

"No hay temor en el amor; sino que el amor perfecto expulsa el temor, porque el temor mira al castigo; quien teme no ha llegado a la plenitud en el amor."
I Juan 4,18

"Yahvéh es mi pastor, nada me falta. [...] Aunque pase por valle tenebroso, ningún mal temeré; pues junto a mí tu vara y tu cayado, ellos me consuelan."
Salmo 23[22],1.4

"No recibisteis un espíritu de esclavos para recaer en el temor; antes bien, recibisteis un espíritu de hijos adoptivos que nos hace exclamar: '¡Abbá, Padre!'"
Romanos 8,15

"De modo que podamos decir confiados: 'El Señor es mi ayuda; no temeré. ¿Qué puede hacerme el hombre?'"
Hebreos 13,6

"El que mora al abrigo de Elyón y se aloja a la sombra de Šadday, dice a Yahvéh: '¡Mi refugio y fortaleza, mi Dios, en quien confío!' Que él te librará de la red del cazador, de la peste funesta; te cubrirá con su plumaje, un refugio hallarás bajo sus alas." **Salmo 91[90],1-4**

"No temerás el terror de la noche, ni la saeta que de día vuela, ni la peste que avanza en las tinieblas, ni el azote que devasta a mediodía.

[...] Tú que dices: '¡Mi refugio Yahvéh!', y haces de Elyón tu asilo. No ha de alcanzarte el mal, ni la plaga se acercará a tu tienda; que él dará orden sobre ti a sus ángeles de guardarte en todos tus caminos."

Salmo 91[90],5-6.9-11

"No temas, que contigo estoy yo; no receles, que yo soy tu Dios. Yo te he robustecido y te he ayudado, y te tengo asido con mi diestra justiciera." **Isaías 41,10**

"No tendrás miedo al acostarte, una vez acostado, será dulce tu sueño. No temerás el espanto repentino, ni cuando a los malos les llegue la tormenta, porque Yahvéh será tu tranquilidad y guardará tu pie de caer en el cepo."

Proverbios 3,24-26

"No temáis; estad firmes, y veréis la salvación que Yahvéh os otorgará en este día, pues los egipcios que ahora veis, no los volveréis a ver nunca jamás. Yahvéh peleará por vosotros, que vosotros no tendréis que preocuparos."

Éxodo 14,13-14

"El día en que el miedo me invade, en ti pongo mi confianza. De Dios alabo la palabra, en Dios confío y ya no temo, ¿qué puede hacerme un ser de carne? [...] Entonces retrocederán mis enemigos, el día en que yo clame. Yo sé que Dios está por mí." **Salmo 56[55],4-5.10**

"¡Sed valientes y firmes!, no temáis ni os asustéis ante ellos, porque Yahvéh tu Dios marcha contigo: no te dejará ni te abandonará." **Deuteronomio 31,6**

"Si pasas por las aguas, yo estoy contigo, si por los ríos, no te anegarán. Si andas por el fuego, no te quemarás, ni la llama prenderá en ti. Porque yo soy Yahvéh tu Dios, el Santo de Israel, tu salvador." **Isaías 43,2-3a**

"Temblar ante los hombres es un lazo; el que confía en Yahvéh está en seguro." **Proverbios 29,25**

"Yahvéh, mi luz y mi salvación, ¿a quién he de temer? Yahvéh, el refugio de mi vida, ¿por quién he de temblar?" **Salmo 27[26],1**

"Ningún arma forjada contra ti tendrá éxito, e impugnarás a toda lengua que se levante a juicio contigo. Tal será la heredad de los siervos de Yahvéh y las victorias que alcanzarán por mí – oráculo de Yahvéh." **Isaías 54,17**

"Y a los que predestinó, a ésos también los llamó; y a los que llamó, a ésos también los justificó; a los que justificó, a ésos también los glorificó. Ante esto ¿qué diremos? Si Dios está por nosotros ¿quién contra nosotros?" **Romanos 8,30-31**

"¡Y yo que decía en mi inquietud: 'Estoy dejado de tus ojos!' Mas tú oías la voz de mis plegarias, cuando clamaba a ti. Amad a Yahvéh, todos sus amigos; a los fieles protege Yahvéh."   **Salmo 31[30],23-24a**

"Yahvéh, tu guardián, tu sombra, Yahvéh, a tu diestra. De día el sol no te hará daño, ni la luna de noche. Te guarda Yahvéh de todo mal, él guarda tu alma; Yahvéh guarda tu salida y tu entrada, desde ahora y por siempre."
                              Salmo 121[120],5-8

"Quien teme al Señor de nada tiene miedo, y no se intimida, porque él es su esperanza."
                              Eclesiástico 34,14

"Les habló Jesús y dijo: '¡Ánimo!, que soy yo; no temáis.'"
                              Mateus 14,27

En situaciones de:

Rebeldía

"De igual manera, jóvenes, sed sumisos a los ancianos; revestíos todos de humildad en vuestras mutuas relaciones, pues Dios resiste a los soberbios y da su gracia a los humildes. Humillaos, pues, bajo la poderosa manos de Dios para que, llegada la ocasión, os ensalce." **I Pedro 5,5-6**

"Si tenéis en vuestro corazón amarga envidia y espíritu de contienda, no os jactéis ni mintáis contra la verdad. Tal sabiduría no desciende de lo alto, sino que es terrena, natural, demoníaca. Pues donde existen envidias y espíritu de contienda, allí hay desconcierto y toda clase de maldad. [...] Frutos de justicia se siembran en la paz para los que procuran la paz." **Santiago 3,14-16.18**

"Por lo tanto, ceñíos los lomos de vuestro espíritu, sed sobrios, poned toda vuestra esperanza en la gracia que se os procurará mediante la Revelación de Jesucristo. Como hijos obedientes, no os amoldéis a las apetencias de antes, del tiempo de vuestra ignorancia." **I Pedro 1,13-14**

"Si aceptáis obedecer, lo bueno de la tierra comeréis. Pero si rehusando os oponéis, por la espada seréis devorados, que ha hablado la boca de Yahvéh."
Isaías 1,19-20

"Obedeced a vuestros dirigentes y someteos a ellos, pues velan sobre vuestras almas como quienes han de dar cuenta de ellas, para que lo hagan con alegría y no lamentándose, cosa que no os traería ventaja alguna."

Hebreos 13,17

"¿Acaso se complace Yahvéh en los holocaustos y sacrificios como en la obediencia a la palabra de Yahvéh? Mejor es obedecer que sacrificar, mejor la docilidad que la grasa de los carneros. Como pecado de hechicería es la rebeldía, crimen de terafim la contumacia."

I Samuel 15,22b-23a

"Sed sumisos, a causa del Señor, a toda institución humana: sea al rey, como soberano, sea a los gobernantes, como enviados por él para castigo de los que obran el mal y alabanza de los que obran el bien. Pues esta es la voluntad de Dios: que obrando el bien, cerréis la boca a los ignorantes insensatos." **I Pedro 2,13-15**

"Os digo, pues, esto y os conjuro en el Señor, que no viváis ya como viven los gentiles, según la vaciedad de su mente, sumergido su pensamiento en las tinieblas y excluidos de la vida de Dios por la ignorancia que hay en ellos, por la dureza de su cabeza." **Efesios 4,17-18**

"En otro tiempo fuisteis tinieblas; mas ahora sois luz en el Señor. Vivid como hijos de la luz; pues el fruto de la luz consiste en toda bondad, justicia y verdad. Examinad qué es lo que agrada al Señor, y no participéis en las obras infructuosas de las tinieblas, antes bien, denunciadlas."

Efesios 5,8-11

"Así pues, mirad atentamente cómo vivís; que no sea como imprudentes, sino como prudentes; aprovechando bien el tiempo presente, porque los días son malos. Por tanto, no seáis insensatos, sino comprended cuál es la voluntad del Señor. No os embriaguéis con vino, que es causa de libertinaje; llenaos más bien del Espíritu."

Efesios 5,15-18

"¡No!, las armas de nuestro combate no son carnales, antes bien, para la causa de Dios, son capaces de arrasar fortalezas. Deshacemos sofismas y toda altanería que se subleva contra el conocimiento de Dios y reducimos a cautiverio todo entendimiento para obediencia de Cristo."

II Corintios 10,4-5

"Mira, pronto vendré y traeré mi recompensa conmigo para pagar a cada uno según su trabajo. Yo soy el Alfa y la Omega, el Primero y el Último, el Principio y el Fin. Dichosos los que laven sus vestiduras, así podrán disponer del árbol de la Vida y entrarán por las puertas en la Ciudad."

Apocalipsis 22,12-14

"Volved, hijos apóstatas [...] porque yo soy vuestro Señor. Os iré recogiendo uno a uno de cada ciudad, y por parejas de cada familia, y os traeré a Sión. Os pondré pastores según mi corazón que os den pasto de conocimiento y prudencia."

Jeremías 3,14-15

"Voces sobre los calveros se oían: rogativas llorosas de los hijos de Israel, porque torcieron su camino, olvidaron a su Dios Yahvéh. – Volved, hijos apóstatas; yo remediaré vuestras apostasías. – Aquí nos tienes de vuelta a ti, porque tú, Yahvéh, eres nuestro Dios."

Jeremías 3,21-22

"Someteos, pues, a Dios; resistid al Diablo y él huirá de vosotros."

Santiago 4,7

En situaciones de:

Indignación

"Tenedlo presente, hermanos míos queridos: Que cada uno sea diligente para escuchar y tardo para hablar, tardo para la ira. Porque la ira del hombre no obra la justicia de Dios." **Santiago 1,19-20**

"Si os airáis, no pequéis; no se ponga el sol mientras estéis airados, ni deis ocasión al Diablo. [...] No salga de vuestra boca palabra dañosa, sino la que sea conveniente para edificar según la necesidad y hacer el bien a los que os escuchen. No entristezcáis al Espíritu Santo de Dios, con el que fuisteis sellados para el día de la redención." **Efesios 4,26-27.29-30**

"Una respuesta suave calma el furor, una palabra hiriente aumenta la ira. [...] Oído que escucha reprensión saludable, tiene su morada entre los sabios. [...] El temor de Yahvéh instruye en sabiduría; antes de la gloria hay humildad." **Proverbios 15,1.31.33**

"Si vosotros perdonáis a los hombres sus ofensas, os perdonará también a vosotros vuestro Padre celestial." **Mateo 6,14**

"El tardo a la ira tiene gran prudencia, el de genio pronto está lleno de necedad. El corazón manso es vida del cuerpo." **Proverbios 14,29-30a**

"Palabras suaves, panal de miel: dulces al alma, saludables al cuerpo. [...] Más vale el hombre paciente que el héroe, el dueño de sí que el conquistador de ciudades." **Proverbios 16,24.32**

"Más vale el término de una cosa que su comienzo, más vale el paciente que el soberbio. No te dejes llevar del enojo, pues el enojo reside en el pecho de los necios."

Eclesiastés 7,8-9

"No tomando la justicia por cuenta vuestra, queridos míos, dejad lugar a la Cólera, pues dice la Escritura: 'Mía es la venganza; yo daré el pago merecido', dice el Señor."

Romanos 12,19

"Si tu enemigo tiene hambre, dale de comer, si tiene sed, dale de beber; así amontonas sobre su cabeza brasas y Yahvéh te dará la recompensa." **Proverbios 25,21-22**

"Conocemos al que dijo: 'Mía es la venganza; yo daré lo merecido.' Y también: 'El Señor juzgará a su pueblo.'"

Hebreos 10,30

"Toda acritud, ira, cólera, gritos, maledicencia y cualquier clase de maldad, desaparezca de entre vosotros. Sed más bien buenos entre vosotros, entrañables, perdonándoos mutuamente como os perdonó Dios en Cristo."

Efesios 4,31-32

"Yo os digo: Todo aquel que se encolerice contra su hermano, será reo ante el tribunal; pero el que llame a su hermano 'imbecil', será reo ante el Sanedrín; y el que le llame 'renegado', será reo de la gehenna de fuego. Si, pues, al presentar tu ofrenda en el altar te acuerdas entonces de que un hermano tuyo tiene algo que reprocharte, deja tu ofrenda allí, delante del altar, y vete primero a reconciliarte con tu hermano; luego vuelves y presentas tu ofrenda."

Mateo 5,22-24

"Y cuando os pongáis de pie para orar, perdonad, si tenéis algo contra alguno, para que también vuestro Padre, que está en los cielos, os perdone vuestras ofensas. [Pero si vosotros no perdonáis, tampoco vuestro Padre que está en los cielos perdonará vuestras ofensas.]"

Marcos 11,25-26

"El que se venga, sufrirá venganza del Señor, que cuenta exacta llevará de sus pecados. Perdona a tu prójimo el agravio, y, en cuanto lo pidas, te serán perdonados tus pecados. Hombre que a hombre guarda ira, ¿cómo del Señor espera curación? De un hombre como él piedad no tiene, ¡y pide perdón por sus propios pecados! Él, que sólo es carne, guarda rencor, ¿quién obtendrá el perdón de sus pecados?"

Eclesiástico 28,1-5

"Mas ahora, desechad también vosotros todo esto: cólera, ira, maldad, maledicencia y palabras groseras, lejos de vuestra boca. No os mintáis unos a otros. Despojaos del hombre viejo con sus obras, y revestíos del hombre nuevo, que se va renovando hasta alcanzar un conocimiento perfecto, según la imagen de su Creador." **Colosenses 3,8-10**

"Tendrá un juicio sin misericordia el que no tuvo misericordia; pero la misericordia se siente superior al juicio."

Santiago 2,13

"Desiste de la cólera y abandona el enojo, no te acalores, que es peor; pues serán extirpados los malvados, mas los que esperan en Yahvéh poseerán la tierra. Un poco más, y no hay impío, buscas su lugar y ya no está; mas poseerán la tierra los humildes, y gozarán de inmensa paz."

Salmo 37[36],8-11

En situaciones de:

Tristeza y Aflicción

"¡Bendito sea el Dios y Padre de nuestro Señor Jesucristo, Padre de las misericordias y Dios de toda consolación, que nos consuela en todas nuestras tribulaciones, para poder nosotros consolar a los que están en toda tribulación, mediante el consuelo con que nosotros somos consolados por Dios!"

II Corintios 1,3-4

"¡Aclamad, cielos, y exulta, tierra! Prorrumpan los montes en gritos de alegría, pues Yahvéh ha consolado a su pueblo, y de sus pobres se ha compadecido."

Isaías 49,13

"Hermanos, no queremos que estéis en la ignorancia respecto de los muertos, para que no os entristezcáis como los demás, que no tienen esperanza. Porque si creemos que Jesús murió y resucitó, de la misma manera Dios llevará consigo a quienes murieron en Jesús."

I Tesalonicenses 4,13-14

"Sabemos que si esta tienda, que es nuestra habitación terrestre, se desmorona, tenemos una casa que es de Dios: una habitación eterna, no hecha por mano humana, que está en los cielos. [...] Y el que nos ha destinado a eso es Dios, el cual nos ha dado en arras el Espíritu."

II Corintios 5,1.5

"En cambio, las almas de los justos están en las manos de Dios y no les alcanzará tormento alguno. Creyeron los insensatos que habían muerto; tuvieron por desdicha su salida de este mundo, y su partida de entre nosotros por completa destrucción; pero ellos están en la paz."

Sabiduría 3,1-3

"Los justos, en cambio, viven eternamente; en el Señor está su recompensa, y su cuidado en el Altísimo."

Sabiduría 5,15

"Dios-con-ellos, será su Dios. Y enjugará toda lágrima de sus ojos, y no habrá ya muerte ni habrá llanto, ni gritos ni fatigas, porque el mundo viejo ha pasado."

Apocalipsis 21,3c-4

"Y en ti confíen los que saben tu nombre, pues tú, Yahvéh, no abandonas a los que te buscan."

Salmo 9,11

"Este es mi consuelo en mi miseria: que tu promesa me hace vivir." **Salmo 119[118],50**

"Yo, yo soy tu consolador. ¿Quién eres tú, que tienes miedo del mortal y del hijo del hombre, al heno equiparado?" **Isaías 51,12**

"Estimo que los sufrimientos del tiempo presente no son comparables con la gloria que se ha de manifestar en nosotros." **Romanos 8,18**

"Que el mismo Señor nuestro Jesucristo y Dios, nuestro Padre, que nos ha amado y que nos ha dado gratuitamente una consolación eterna y una esperanza dichosa, consuele vuestros corazones y los afiance en toda obra y palabra buena." **II Tesalonicenses 2,16-17**

"No se dirá de ti jamás 'Abandonada', ni de tu tierra se dirá jamás 'Desolada', sino que a ti se te llamará 'Mi Complacencia', y a tu tierra, 'Desposada'. Porque Yahvéh se complacerá en ti, y tu tierra será desposada."
Isaías 62,4

"La muerte ha sido devorada en la victoria. ¿Dónde está, oh muerte, tu victoria? ¿Dónde está, oh muerte, tu aguijón? El aguijón de la muerte es el pecado; y la fuerza del pecado, la Ley. Pero ¡gracias sean dadas a Dios, que nos da la victoria por nuestro Señor Jesucristo!"
I Corintios 15,54b-57

"Más bien, como dice la Escritura, anunciamos: 'lo que ni el ojo vio, ni el oído oyó, ni al corazón del hombre llegó, lo que Dios preparó para los que le aman.'"
I Corintios 2,9

"¡Arriba, resplandece, que ha llegado tu luz, y la gloria de Yahvéh sobre ti ha amanecido! [...] No será para ti ya nunca más el sol luz del día, ni el resplandor de la luna te alumbrará de noche, sino que tendrás a Yahvéh por luz eterna, y a tu Dios por tu hermosura. No se pondrá jamás tu sol, ni tu luna menguará, pues Yahvéh será para ti luz eterna, y se habrán acabado los días de tu luto."
Isaías 60,1.19-20

"Y dirás aquel día: 'Yo te alabo, Yahvéh, pues aunque te airaste contra mí, se ha calmado tu ira y me has compadecido.

He aquí a Dios mi salvador: estoy seguro y sin miedo, pues Yahvéh es mi fuerza y mi canción, él es mi salvación."

Isaías 12,1-2

"Habiendo venido por un hombre la muerte, también por un hombre viene la resurrección de los muertos. Pues del mismo modo que en Adán mueren todos, así también todos revivirán en Cristo." **I Corintios 15,21-22**

"Jesús le respondió: 'Yo soy la resurrección y la vida. El que cree en mí, aunque muera, vivirá; y todo el que vive y cree en mí, no morirá jamás. ¿Crees esto?'"

Juan 11,25-26

"Lo han visto los humildes y se alegran; ¡viva nuestro corazón, los que buscáis a Dios! Porque Yahvéh escucha a los pobres, no desprecia a sus cautivos."

Salmo 69[68],33-34

"Bienaventurados los que lloran, porque ellos serán consolados." **Mateo 5,5**

Cuando necesite de:

Orientación

"Con tus oídos oirás detrás de ti estas palabras: 'Ese es el camino, id por él', ya sea a la derecha, ya a la izquierda." **Isaías 30,21**

"Cuando venga él, el Espíritu de la verdad, os guiará hasta la verdad completa; pues no hablará por su cuenta, sino que hablará lo que oiga, y os anunciará lo que ha de venir." **Juan 16,13**

"De Yahvéh penden los pasos del hombre, firmes son y su camino le complace." **Salmo 37[36],23**

"Por mi parte os digo: Si vivís según el Espíritu, no daréis satisfacción a las apetencias de la carne. [...] Si vivimos según el Espíritu, obremos también según el Espíritu." **Gálatas 5,16.25**

"Reparad, reparad, abrid camino, quitad los obstáculos del camino de mi pueblo. [...] Sus caminos vi. Yo le curaré y le consolaré, y le daré ánimos a él y a los que con él lloraban, poniendo alabanza en los labios." **Isaías 57,14.18-19a**

"Tu amor, oh Dios, evocamos en medio de tu Templo. [...] Que así es Dios, nuestro Dios por los siglos de los siglos, aquel que nos conduce." **Salmo 48[47],10.15**

"Bueno y recto es Yahvéh; por eso muestra a los pecadores el camino; conduce en la justicia a los humildes, y a los pobres enseña su sendero." **Salmo 25[24],8-9**

"A mí, sin cesar junto a ti, de la mano derecha me has tomado; me guiarás con tu consejo, y al fin en la gloria me recibirás." **Salmo 73[72],23-24**

"Reconócele en todos tus caminos y él enderezará tus sendas." **Proverbios 3,6**

"Si hay un hombre que tema a Yahvéh, él le indica el camino a seguir." **Salmo 25[24],12**

"Haré andar a los ciegos por el camino, por los senderos les encaminaré. Trocaré delante de ellos la tiniebla en luz, y lo tortuoso en llano. Estas cosas haré, y no las omitiré." **Isaías 42,16**

"Al hombre le parecen puros todos sus caminos, pero Yahvéh pondera los espíritus. Encomienda tus obras a Yahvéh y tus proyectos se llevarán a cabo." **Proverbios 16,2-3**

"El corazón del hombre medita su camino, pero es Yahvéh quien asegura sus pasos. [...] La calzada de los rectos es apartarse del mal; el que atiende a su camino, guarda su alma." **Proverbios 16,9.17**

"Y hacia Yahvéh gritaron en su apuro, y él los libró de sus angustias, les condujo por camino recto." **Salmo 107[106],6-7a**

"Así dice Yahvéh, tu redentor, el Santo de Israel. Yo, Yahvéh, tu Dios, te instruyo en lo que es provechoso y te marco el camino por donde debes ir." **Isaías 48,17**

"Te guiará Yahvéh de continuo, hartará en los sequedales tu alma, dará vigor a tus huesos, y serás como huerto regado, o como manantial cuyas aguas nunca faltan." **Isaías 58,11**

Palabra de Dios para la familia

Casamiento

"Dijo luego Yahvéh Dios: 'No es bueno que el hombre esté solo. Voy a hacerle una yuda adecuada.'"

Génesis 2,18

"Desde el comienzo de la creación, Dios los hizo varón y hembra. Por eso dejará el hombre a su padre y a su madre, y los dos se harán una sola carne. De manera que ya no son dos, sino una sola carne. Pues bien, lo que Dios unió, no lo separe el hombre." **Marcos 10,6-9**

"Por eso dejará el hombre a su padre y a su madre y se unirá a su mujer, y los dos se harán una sola carne. Gran misterio es éste, lo digo respecto a Cristo y la Iglesia. En todo caso, en cuanto a vosotros, que cada uno ame a su mujer como a sí mismo; y la mujer, que respete al marido."

Efesios 5,31-33

"A fin de que temas a Yahvéh tu Dios, guardando todos los preceptos y los mandamientos que yo te prescribo hoy, tú, tu hijo, y tu nieto, todos los días de tu vida, y así se prolonguen tus días." **Deuteronomio 6,2**

"¿No habéis leído que el Creador, desde el principio, los hizo varón y hembra, y que dijo: 'Por eso dejará el hombre a su padre y a su madre y se unirá a su mujer, y los dos se harán una sola carne'? De manera que ya no son dos, sino una sola carne. Pues bien, lo que Dios unió no lo separe el hombre." **Mateo 19,4-6**

"Tened todos en gran honor el matrimonio, y el lecho conyugal sea inmaculado; que a los fornicarios y adúlteros los juzgará Dios." **Hebreos 13,4**

"Tomad mujeres y engendrad hijos e hijas; casad a vuestros hijos y dad vuestras hijas a maridos para que den a luz hijos e hijas, y medrad allí y no mengüéis." **Jeremías 29,6**

"En cuanto a lo que me habéis escrito, bien le está al hombre abstenerse de mujer. No obstante, por razón de la impureza, tenga cada hombre su mujer, y cada mujer su marido. Que el marido dé a su mujer lo que debe y la mujer de igual modo a su marido. No dispone la mujer de su cuerpo, sino el marido. Igualmente, el marido no dispone de su cuerpo, sino la mujer. No os neguéis el uno al otro sino de mutuo acuerdo, por cierto tiempo, para daros a la oración; luego, volved a estar juntos, para que Satanás no os tiente por vuestra incontinencia." **I Corintios 7,1-5**

"Que cada uno de vosotros sepa poseer su cuerpo con santidad y honor, y no dominado por la pasión, como hacen los gentiles que no concocen a Dios. Que nadie falte ni se aproveche de su hermano en este punto, pues el Señor se vengará de todo esto, como os lo dijimos ya y lo atestiguamos."

I Tesalonicenses 4,4-6

"Quiero, pues, que las jóvenes se casen, que tengan hijos y que gobiernen la propia casa y no den al adversario ningún motivo de hablar mal." **I Timoteo 5,14**

"Igualmente, vosotras, mujeres, sed sumisas a vuestros maridos para que, si incluso algunos no creen en la Palabra, sean ganados no por las palabras sino por la conducta de sus mujeres, al considerar vuestra conducta casta y respetuosa.

[...] De igual manera vosotros, maridos, en la vida común sed comprensivos con la mujer que es un ser más frágil, tributándoles honor como coherederas que son también de la gracia de Vida, para que vuestras oraciones no encuentren obstáculo." **I Pedro 3,1-2.7**

"En cuanto a los casados, les ordeno, no yo sino el Señor: que la mujer no se separe del marido, mas en el caso de separarse, que no vuelva a casarse, o que se reconcilie con su marido, y que el marido no despida a su mujer. En cuanto a los demás, digo yo, no el Señor: Si un hermano tiene una mujer no creyente y ella consiente en vivir con él, no la despida." **I Corintios 7,10-12**

"Quien halló mujer, halló cosa buena, y alcanzó favor de Yahvéh." **Proverbios 18,22**

"Le respondieron: 'Ten fe en el Señor Jesús y te salvarás tú y tu casa.'" **Hechos 16,31**

Esposas

"Una mujer completa ¿quién la encontrará? Es mucho más valiosa que las perlas. En ella confía el corazón de su marido, y no será sin provecho. Le produce el bien, no el mal, todos los días de su vida. [...] Se viste de fuerza y dignidad, y se ríe del día de mañana. Abre su boca con sabiduría, lección de amor hay en su lengua. Está atenta a la marcha de su casa, y no come pan de ociosidad.

Se levantan sus hijos y la llaman dichosa; su marido, y hace su elogio: '¡Muchas mujeres hicieron proezas, pero tú las superas a todas!' Engañosa es la gracia, vana la hermosura, la mujer inteligente, ésa será alabada."

Proverbios 31,10-12.25-30

"La gracia de la mujer recrea a su marido, y su ciencia reconforta sus huesos. Un don del Señor la mujer silenciosa, no tiene precio la bien educada. Gracia de gracias la mujer pudorosa, no hay medida para pesar a la dueña de sí misma."

Eclesiástico 26,13-16

"Quien halló mujer, halló cosa buena, y alcanzó favor de Yahvéh." **Proverbios 18,22**

"Vive la vida con la mujer que amas, todo el espacio de tu vana existencia que se te ha dado bajo el sol, ya que tal es tu parte en la vida y en los afanes con que te afanas bajo el sol." **Eclesiastés 9,9**

"Feliz el marido de mujer buena, el número de sus días se duplicará. Mujer varonil da contento a su marido, que acaba en paz la suma de sus años. Mujer buena es buena herencia, asignada a los que temen al Señor: sea rico o pobre, su corazón es feliz, en todo tiempo alegre su semblante."

Eclesiástico 26,1-4

"Casa y fortuna se heredan de los padres, mujer prudente viene de Yahvéh." **Proverbios 19,14**

"Mujer valiosa, corona del marido, mujer desvergonzada, caries en los huesos." **Proverbios 12,4**

"Las mujeres [sean sumisas] a sus maridos, como al Señor, porque el marido es cabeza de la mujer, como Cristo es Cabeza de la Iglesia, el salvador del Cuerpo. Así como la Iglesia está sumisa a Cristo, así también las mujeres deben estarlo a sus maridos en todo." **Efesios 5,22-24**

"Mujeres, sed sumisas a vuestros maridos, como conviene en el Señor." **Colosenses 3,18**

"Igualmente, vosotras, mujeres, sed sumisas a vuestros maridos para que, si incluso algunos no creen en la Palabra, sean ganados no por las palabras sino por la conducta de sus mujeres, al considerar vuestra conducta casta y respetuosa. Que vuestro adorno no esté en el exterior, en peinados, joyas y modas, sino en lo oculto del corazón, en la incorruptibilidad de un alma dulce y serena: esto es precioso ante Dios."

I Pedro 3,1-4

Maridos

"Poned estas palabras en vuestro corazón y en vuestra alma, atadlas a vuestra mano como una señal, como recordatorio ante vuestros ojos. Enseñádselas a vuestros hijos, hablando de ello cuando estés en casa y cuando vayas de viaje, cuando te acuestes y cuando te levantes. Las escribirás en las jambas de tu casa y en tus puertas, para que tus días y los días de tus hijos sean numerosos en la tierra que Yahvéh juró dar a vuestros padres, tan numerosos como los días del cielo sobre la tierra." **Deuteronomio 11,18-21**

"Maridos, amad a vuestras mujeres como Cristo amó a la Iglesia y se entregó a sí mismo por ella, para santificarla, purificándola mediante el baño del agua, en virtud de la palabra, y presentársela resplandeciente a sí mismo; sin que tenga mancha ni arruga ni cosa parecida, sino que sea santa e inmaculada. Así deben amar los maridos a sus mujeres como a sus propios cuerpos. El que ama a su mujer se ama a sí mismo. Porque nadie aborreció jamás su propia carne; antes bien, la alimenta y la cuida con cariño, lo mismo que Cristo a la Iglesia, pues somos miembros de su Cuerpo. Por eso dejará el hombre a su padre y a su madre y se unirá a su mujer, y los dos se harán una sola carne. Gran misterio es éste, lo digo respecto a Cristo y la Iglesia. En todo caso, en cuanto a vosotros, que cada uno ame a su mujer como a sí mismo; y la mujer, que respete al marido."
Efesios 5,25-33

"Me he fijado en él, para que él mande a sus hijos y a su casa después de él que guarden el camino de Yahvéh,

practicando la justicia y el derecho, a fin de que Yahvéh haga venir sobre Abraham lo que le tiene prometido."
Génesis 18,19

"Yahvéh es testigo entre ti y la esposa de tu juventud, a la que tú traicionaste, siendo así que ella era tu compañera y la mujer de tu alianza. ¿No ha hecho él un solo ser, que tiene carne y aliento de vida? Y este uno ¿qué busca? ¡Una posteridad dada por Dios! Guardad, pues, vuestro espíritu; no traicionéis a la esposa de vuestra juventud."
Malaquías 2,14b-15

"Maridos, amad a vuestras mujeres, y no seáis ásperos con ellas. Hijos, obedeced en todo a vuestros padres, porque esto es grato a Dios en el Señor." **Colosenses 3,19-20**

"Que el marido dé a su mujer lo que debe y la mujer de igual modo a su marido." **I Corintios 7,3**

"Queden grabadas en tu corazón estas palabras que yo te mando hoy. Se las repetirás a tus hijos, se las dirás tanto si estás en casa como si vas de viaje, cuando te acuestes y cuando te levantes; las atarás a tu mano como una señal, como un rocordatorio ante tus ojos; las escribirás en las jambas de tu casa y en tus puertas." **Deuteronomio 6,6-9**

"El padre del justo rebosa de gozo, quien engendra un sabio por él se regocija." **Proverbios 23,24**

"Corona de los ancianos son los hijos de los hijos; los padres son el honor de los hijos." **Proverbios 17,6**

"El hijo sabio es la alegría de su padre, el hombre necio desprecia a su madre." **Proverbios 15,20**

"Padres, no exasperéis a vuestros hijos, no sea que se vuelvan apocados." **Colosenses 3,21**

"El hombre de bien deja la herencia a los hijos de sus hijos, la riqueza del pecador se reserva al justo." **Proverbios 13,22**

"Quien escatima la vara, odia a su hijo, quien le tiene amor, le castiga." **Proverbios 13,24**

"De igual manera vosotros, maridos, en la vida común sed comprensivos con la mujer que es un ser más frágil, tributándoles honor como coherederas que son también de la gracia de Vida, para que vuestras oraciones no encuentren obstáculo." **I Pedro 3,7**

"Dichosos todos los que temen a Yahvéh, los que van por sus caminos. Del trabajo de tus manos comerás, ¡dichoso tú, que todo te irá bien! Tu esposa será como una vid fecunda en el interior de tu casa. Tus hijos, como brotes de olivo en torno de tu mesa.

Así será bendito el hombre que a Yahvéh teme. ¡Bendígate Yahvéh desde Sión todos los días de tu vida! ¡Contemples tú la dicha de Jerusalén, y veas a los hijos de tus hijos! ¡Paz a Israel!" **Salmo 128[127]**

"Vive la vida con la mujer que amas, todo el espacio de tu vana existencia que se te ha dado bajo el sol, ya que tal es tu parte en la vida y en los afanes con que te afanas bajo el sol." **Eclesiastés 9,9**

"Sea tu fuente bendita, gózate en la mujer de tu mocedad, cierva amable, graciosa gacela: tenga ella su conversación contigo, embriáguente en todo tiempo sus amores, su amor te apasione para siempre." **Proverbios 5,,18-19**

"Si alguien no tiene cuidado de los suyos, principalmente de sus familiares, ha renegado de la fe y es peor que un infiel." **I Timoteo 5,8**

"Sin embargo, quiero que sepáis que la cabeza de todo hombre es Cristo; y la cabeza de la mujer es el hombre; y la cabeza de Cristo es Dios." **I Coríntios 11,3**

Hijos

"Guarda, hijo mío, el mandato de tu padre y no desprecies la lección de tu madre. Tenlos atados siempre a tu corazón, enlázalos a tu cuello; en tus pasos ellos serán tu guía; cuando te acuestes, velarán por ti; conversarán contigo al despertar." **Proverbios 6,20-22**

"El que atesora es quien da gloria a su madre. Quien honra a su padre recibirá contento de sus hijos, y en el día de su oración será escuchado." **Eclesiástico 3,4-5**

"Escucha, hijo mío, la instrucción de tu padre y no desprecies la lección de tu madre: corona graciosa son para tu cabeza y un collar para tu cuello." **Proverbios 1,8-9**

"No debes preocuparte, hijo, porque seamos pobres. Muchos bienes posees si temes a Dios, huyes de todo pecado y haces lo que es bueno ante el Señor tu Dios."
Tobías 4,21

"Escucha a tu padre, que él te engendró, y no desprecies a tu madre por ser vieja. [...] El padre del justo rebosa de gozo, quien engendra un sabio por él se regocija. ¡Sé tú la alegría de tu padre, y el gozo de la que te ha engendrado!"
Proverbios 23,22.24-25

"[Tobit] se dijo para sí: 'Yo, ya estoy deseando morirme. [...] Llamó, pues, Tobit a su hijo, que se presentó ante él. Tobit le dijo: 'Cuando yo muera, me darás una digna sepultura; honra a tu madre y no le des un disgusto en todos los días de su vida; haz lo que le agrade y no le causes tristeza por ningún motivo. Acuérdate, hijo, de que ella pasó muchos trabajos por ti cuando te llevaba en su seno. Y cuando ella muera, sepúltala junto a mí, en el mismo sepulcro.'"

Tobías 4,2a.3-4

"Hijos, obedeced a vuestros padres en el Señor; porque esto es justo. Honra a tu padre y a tu madre, tal es el primer mandamiento que lleva consigo una promesa: Para que seas feliz y se prolongue tu vida sobre la tierra."

Efesios 6,1-3

"El que ama la Sabiduría, da alegría a su padre, el que anda con prostitutas, disipa su fortuna."

Proverbios 29,3

"¿Cómo el joven guardará puro su camino? Observando tu palabra."

Salmo 119[118],9

"Así pues, hijo, ama a tus hermanos; no tengas con tus hermanos, ni con los hijos y las hijas de tu pueblo, corazón soberbio, en orden a tomar para ti mujer de entre ellos; pues la soberbia acarrea la ruina y prolija inquietud; y la ociosidad, bajeza y extrema penuria; porque la ociosidad es madre de la indigencia."

Tobías 4,13

"Hijos, obedeced en todo a vuestros padres, porque esto es grato a Dios en el Señor."

Colosenses 3,20

"Vara y represión dan sabiduría, niño dejado a sí mismo, avergüenza a su madre."

Proverbios 29,15

"Hijo mío, no olvides mi lección, en tu corazón guarda mis mandatos, pues largos días y años de vida y bienestar te añadirán. La piedad y la lealtad no te abandonen; átalas a tu cuello, escríbelas en la tablilla de tu corazón. Así hallarás favor y buena acogida a los ojos de Dios y de los hombres."
Proverbios 3,1-4

"No ahorres corrección al niño, que no se va a morir porque le castigues con la vara. Con la vara le castigarás y librarás su alma del šeol." **Proverbios 23,13-14**

"Todos tus hijos serán discípulos de Yahvéh, y será grande la dicha de tus hijos. En justicia serás consolidada."
Isaías 54,13-14a

"Quien da gloria al padre vivirá largos días, obedece al Señor quien da sosiego a su madre: como a su Señor sirve a los que le engendraron. En obra y palabra honra a tu padre, para que te alcance su bendición. Pues la bendición del padre afianza la casa de los hijos." **Eclesiástico 3,6-9a**

"Jesús les dijo: 'Dejad a los niños y no les impidáis que vengan a mí, porque de los que son como éstos es el Reino de los Cielos.'" **Mateo 19,14**

"Corona de los ancianos son los hijos de los hijos; los padres son el honor de los hijos." **Proverbios 17,6**

"A mí que soy vuestro padre escuchadme, hijos, y obrad así para salvarnos. Pues el Señor glorifica al padre en los hijos, y afirma el derecho de la madre sobre su prole. Quien honra a su padre expía sus pecados."
Eclesiástico 3,1-3

"Honra a tu padre y a tu madre, como te lo ha mandado Yahvéh tu Dios, para que se prolonguen tus días y vivas feliz en el suelo que Yahvéh tu Dios te da."

Deuteronomio 5,16

"Honra a tu padre y a tu madre, tal es el primer mandamiento que lleva consigo una promesa: Para que seas feliz y se prolongue tu vida sobre la tierra."

Efesios 6,2-3

"Si una viuda tiene hijos o nietos, que aprendan éstos primero a practicar los deberes de piedad para con los de su propia familia y a corresponder a sus progenitores, porque esto es agradable a Dios." **I Timoteo 5,4**

Problemas conyugales

"Toda acritud, ira, cólera, gritos, maledicencia y cualquier clase de maldad, desaparezca de entre vosotros. Sed má bien buenos entre vosotros, entrañables, perdonándoos mutuamente como os perdonó Dios en Cristo."
Efesios 4,31-32

"La caridad no hace mal al prójimo. La caridad es, por tanto, la ley en su plenitud." **Romanos 13,10**

"Habéis purificado vuestras almas, obedeciendo a la verdad, para amaros los unos a los otros sinceramente como hermanos. Amaos intensamente unos a otros, con corazón puro." **I Pedro 1,22**

"Amándoos cordialmente los unos a los otros; estimando en más cada uno a los demás; con un celo sin negligencia; con espíritu fervoroso; sirviendo al Señor."
Romanos 12,10-11

"Si no os parece bien servir a Yahvéh, elegid hoy a quién habéis de servir, o a los dioses a quienes servían vuestros padres más allá del Río, o a los dioses de los amorreos en cuyo país habitáis ahora. Que yo y mi familia serviremos a Yahvéh." **Josué 24,15**

"Igualmente, vosotras, mujeres, sed sumisas a vuestros maridos para que, si incluso algunos no creen en la Palabra, sean ganados no por las palabras sino por la conducta de sus mujeres." **I Pedro 3,1**

"De igual manera vosotros, maridos, en la vida común sed comprensivos con la mujer que es un ser más frágil, tributándoles honor como coherederas que son también de la gracia de Vida, para que vuestras oraciones no encuentren obstáculo." **I Pedro 3,7**

"Y esta otra cosa hacéis también vosotros: cubrir de lágrimas el altar de Yahvéh, de llantos y suspiros, porque él ya no se vuelve hacia la oblación, ni la acepta con gusto de vuestras manos. Y vosotros decís: ¿Por qué? – Porque Yahvéh es testigo entre ti y la esposa de tu juventud, a la que tú traicionaste, siendo así que ella era tu compañera y la mujer de tu alianza. ¿No ha hecho él un solo ser, que tiene carne y aliento de vida? Y este uno ¿qué busca? ¡Una posteridad dada por Dios! Guardad, pues, vuestro espíritu; no traicionéis a la esposa de vuestra juventud. Pues yo odio el repudio, dice Yahvéh Dios de Israel, y al que encubre con su vestido la violencia, dice Yahvéh Sebaot. Guardad, pues, vuestro espíritu y no cometáis tal traición." **Malaquias 2,13-16**

"Habéis oído que se dijo: 'No cometerás adulterio.' Pues yo os digo: Todo el que mira a una mujer deseándola, ya cometió adulterio con ella en su corazón."
Mateo 5,27-28

"Os doy un mandamiento nuevo: que os améis los unos a los otros. Que, como yo os he amado, así os améis también vosotros los unos a los otros. En esto conocerán todos que sois discípulos míos: si os tenéis amor los unos a los otros."
Juan 13,34-35

"Si os airáis, no pequéis; no se ponga el sol mientras estéis airados, ni deis ocasión al Diablo."
Efesios 4,26-27

"No devolváis mal por mal, ni insulto por insulto; por el contrario, bendecid, pues habéis sido llamados a heredar la bendición. Pues quien quiera amar la vida y ver días felices, guarde su lengua del mal, y sus labios de palabras engañosas, apártese del mal y haga el bien, busque la paz y corra tras ella. Pues los ojos del Señor miran a los justos y sus oídos escuchan su oración, pero el rostro del Señor contra los que obran el mal." **I Pedro 3,9-12**

"Sea vuestro lenguaje: 'Sí, sí'; 'no, no': que lo que pasa de aquí viene del Maligno." **Mateo 5,37**

"Habéis oído que se dijo: 'Ojo por ojo y diente por diente.' Pues yo os digo que no resistáis al mal; antes bien, al que te abofetee en la mejilla derecha preséntale también la otra." **Mateo 5,38-39**

"Sed misericordiosos, como vuestro Padre es misericordioso. No juzguéis y no seréis juzgados, no condenéis y no seréis condenados. Perdonad y seréis perdonados." **Lucas 6,36-37**

"Si vosotros perdonáis a los hombres sus ofensas, os perdonará también a vosotros vuestro Padre celestial; pero si no perdonáis a los hombres, tampoco vuestro Padre perdonará vuestras ofensas." **Mateo 6,14-15**

"Y cuando os pongáis de pie para orar, perdonad, si tenéis algo contra alguno, para que también vuestro Padre, que está en los cielos, os perdone vuestras ofensas. [Pero si vosotros no perdonáis, tampoco vuestro Padre que está en los cielos perdonará vuestras ofensas.]" **Marcos 11,25-26**

"El odio provoca discusiones el amor cubre todas las faltas." **Proverbios 10,12**

"La caridad es paciente, es servicial; la caridad no es envidiosa, no es jactanciosa, no se engríe; es decorosa; no busca su interés; no se irrita; no toma en cuenta el mal; no se alegra de la injusticia; se alegra con la verdad. Todo lo excusa. Todo lo cree. Todo lo espera. Todo lo soporta." **I Corintios 13,4-7**

Separación y divorcio

"En cuanto a los casados, les ordeno, no yo sino el Señor: que la mujer no se separe del marido, mas en el caso de separarse, que no vuelva a casarse, o que se reconcilie con su marido, y que el marido no despida a su mujer. En cuanto a los demás, digo yo, no el Señor: Si un hermano tiene una mujer no creyente y ella consiente en vivir con él, no la despida. Y si una mujer tiene un marido no creyente y él consiente en vivir con ella, no le despida. Pues el marido no creyente queda santificado por su mujer, y la mujer no creyente queda santificada por el marido creyente. Si no lo fuera así, vuestros hijos serían impuros, mas ahora son santos. Pero si la parte no creyente quiere separarse, que se separe; en ese caso el hermano o la hermana no están ligados: para vivir en paz os llamó el Señor. Pues ¿qué sabes tú, mujer, si salvarás a tu marido? Y ¿qué sabes tú, marido, si salvarás a tu mujer?" **I Coríntios 7,10-16**

"También se dijo: 'El que repudie a su mujer, que le dé acta de divorcio.' Pues yo os digo: Todo el que repudia a su mujer, excepto el caso de fornicación, la expone a cometer adulterio; y el que se case con una repudiada, comete adulterio." **Mateo 5,31-32**

"Así le pasa al que se llega a la mujer del prójimo: no saldrá ileso ninguno que la toque." **Proverbios 6,29**

"Todo el que repudia a su mujer y se casa con otra, comete adulterio; y el que se casa con una repudiada por su marido, comete adulterio." **Lucas 16,18**

"Se acercaron unos fariseos que, para ponerle a prueba, le preguntaron: '¿Puede el marido repudiar a la mujer?' Él les respondió: '¿Qué os prescribió Moisés?' Ellos le respondieron: 'Moisés permitió escribir el acta de divorcio y repudiarla.' Jesús les dijo: 'Teniendo en cuenta la dureza de vuestra cabeza escribió para vosotros este precepto. Pero desde el comienzo de la creación, Dios los hizo varón y hembra. Por eso dejará el hombre a su padre y a su madre, y los dos se harán una sola carne. De manera que ya no son dos, sino una sola carne. Pues bien, lo que Dios unió, no lo separe el hombre.' Y ya en casa, los discípulos le volvieron a preguntar sobre esto. Él les dijo: 'Quien repudie a su mujer y se case con otra, comete adulterio contra aquélla; y si ella repudia a su marido y se casa con otro, comete adulterio.'"

Marcos 10,2-12

"Y esta otra cosa hacéis también vosotros: cubrir de lágrimas el altar de Yahvéh, de llantos y suspiros, porque él ya no se vuelve hacia la oblación, ni la acepta con gusto de vuestras manos. Y vosotros decís: ¿Por qué? – Porque Yahvéh es testigo entre ti y la esposa de tu juventud, a la que tú traicionaste, siendo así que ella era tu compañera y la mujer de tu alianza. ¿No ha hecho él un solo ser, que tiene carne y aliento de vida? Y este uno ¿qué busca? ¡Una posteridad dada por Dios! Guardad, pues, vuestro espíritu; no traicionéis a la esposa de vuestra juventud."

Malaquías 2,13-15

"Pues miel destilan los labios de la extraña, su paladar es más suave que el aceite; pero al fin es amarga como el ajenjo, mordaz como espada de dos filos. [...] Así pues, hijo mío, escúchame, no te apartes de los dichos de mi boca: aleja de ella tu camino, no te acerques a la puerta de su casa; no tengas que dar tu honor a otro y tus años a un hombre cruel; no se harten de tus bienes los extraños, ni paren tus fatigas en casa del extranjero."

Proverbios 5,3-4.7-10

"¿Por qué apasionarte, hijo mío, de una ajena, abrazar el seno de una extraña? Pues los caminos del hombre están en la presencia de Yahvéh, él vigila todos sus senderos. El malvado será presa de sus propias maldades, con los lazos de su pecado se le capturará."

Proverbios 5,20-22

Viudez

"La mujer está ligada a su marido mientras él viva; mas una vez muerto el marido, queda libre para casarse con quien quiera, pero en el Señor. Sin embargo, será más feliz si permanece así según mi consejo; que también yo creo tener el Espíritu de Dios." **I Corintios 7,39-40**

"Cantad a Yahvéh, salmodiad a su nombre, abrid paso al que cabalga las nubes, alegraos en Yahvéh, exultad ante su rostro. Padre de los huérfanos y tutor de las viudas, es Dios en su santa morada." **Salmo 68[67],5-6**

"Quiero, pues, que las jóvenes se casen, que tengan hijos y que gobiernen la propia casa y no den al adversario ningún motivo de hablar mal. [...] Si alguna creyente tiene viudas, atiéndalas ella misma y no las cargue a la Iglesia, a fin de que ésta pueda atender a las que sean verdaderamente viudas." **I Timoteo 5,14.16**

"La religión pura e intachable ante Dios Padre es ésta: visitar a los huérfanos y a las viudas en su tribulación y conservarse incontaminado del mundo." **Santiago 1,27**

"Maldito aquel que tuerce el derecho del forastero, el huérfano o la viuda." **Deuteronomio 27,19**

"Honra a las viudas, a las que son verdaderamente viudas. Si una viuda tiene hijos o nietos, que aprendan éstos primero a practicar los deberes de piedad para con los de su propia familia ya corresponder a sus progenitores, porque esto es agradable a Dios. Pero la que de verdad es viuda y ha quedado enteramente sola, tiene puesta su esperanza en el Señor y persevera en sus plegarias y oraciones noche y día. La que, en cambio, está entregada a los placeres, aunque viva, está muerta. Todo esto incúlcalo también, para que sean irreprensibles." **I Timoteo 5,3-7**

"No obstante, digo a los no casados y a las viudas: Bien les está quedarse como yo. Pero si no pueden contenerse, que se casen; mejor es casarse que abrasarse." **I Corintios 7,8-9**

"Tu esposo es tu Hacedor, Yahvéh Sebaot es su nombre; y el que te rescata, el Santo de Israel, Dios de toda la tierra se llama." **Isaías 54,5**

"Yahvéh protege al forastero, a la viuda y al huérfano sostiene. Mas el camino de los impíos tuerce." **Salmo 146[145],9**

"[Dios] hace justicia al huérfano y a la viuda, y ama al forastero a quien da pan y vestido." **Deuteronomio 10,18**

"La casa de los soberbios destruye Yahvéh, y mantiene en pie los linderos de la viuda." **Proverbios 15,25**

"No oprimáis a la viuda, al huérfano, al forastero, ni al pobre; y no maquinéis mal uno contra otro en vuestro corazón." **Zacarías 7,10**

"La mujer, cuando da a luz, está triste, porque le ha llegado su hora; pero cuando el niño le ha nacido, ya no se acuerda del aprieto por el gozo de que ha nacido un hombre en el mundo. También vosotros estáis tristes ahora, pero volveré a veros y se alegrará vuestro corazón y nadie os podrá quitar vuestra alegría." **Juan 16,21-22**

"Enseñándoles [todas las gentes] a guardar todo lo que yo os he mandado. Y sabed que yo estoy con vosotros todos los días hasta el fin del mundo." **Mateo 28,20**

"No temas, que no te avergonzarás, ni te sonrojes, que no quedarás confundida, pues la vergüenza de tu mocedad olvidarás, y la afrenta de tu viudez no recordarás jamás. Porque tu esposo es tu Hacedor, Yahvéh Sebaot es su nombre; y el que te rescata, el Santo de Israel, Dios de toda la tierra se llama. Porque como a mujer abandonada y de contristado espíritu, te llamó Yahvéh; y la mujer de la juventud ¿es repudiada? – dice tu Dios. [...] Porque los montes se correrán y las colinas se moverán, mas mi amor de tu lado no se apartará y mi alianza de paz no se moverá – dice Yahvéh, que tiene compasión de ti." **Isaías 54,4-6.10**

Madurez y vejez

"A ti, Yahvéh, me acojo, ¡no sea confundido jamás! ¡Por tu justicia sálvame, libérame, tiende hacia mí tu oído y sálvame! ¡Sé para mí una roca de refugio, alcázar fuerte que me salve, pues mi roca eres tú y mi fortaleza.

¡Dios mío, líbrame de la mano del impío, de las garras del perverso y del violento! Pues tú eres mi esperanza, Señor, Yahvéh, mi confianza desde mi juventud. En ti tengo mi apoyo desde el seno, tú mi parte desde las entrañas de mi madre; ¡en ti sin cesar mi alabanza!

[...] A la hora de mi vejez no me rechaces, no me abandones cuando decae mi vigor. [...] ¡Oh Dios, desde mi juventud me has instruido, he anunciado hasta hoy tus maravillas! Y ahora que llega la vejez y las canas, ¡oh Dios, no me abandones!, para que anuncie yo tu brazo a todas las edades venideras, ¡tu poderío y tu justicia, oh Dios, hasta los cielos! Tú que has hecho grandes cosas, ¡oh Dios!, ¿quién como tú?"   **Salmo 71[70],1-6.9.17-19**

"Él se abraza a mí, yo he de librarle; le exaltaré, pues conoce mi nombre. Me llamará y le responderé; estaré a su lado en la desgracia, le libraré y le glorificaré. Hartura le daré de largos días, y haré que vea mi salvación."
Salmo 91[90],14-16

"Hasta vuestra vejez, yo seré el mismo, hasta que se os vuelva el pelo blanco, yo os llevaré. Ya lo tengo hecho, yo me encargaré, yo me encargo de ello, yo os salvaré."
Isaías 46,4

"Cabellos blancos son corona de honor; y en el camino de la justicia se la encuentra." **Proverbios 16,31**

"Florece el justo como la palmera [...]. Plantados en ia Casa de Yahvéh, dan flores en los atrios del Dios nuestro. Todavía en la vejez tienen fruto, se mantienen frescos y lozanos, para anunciar lo recto que es Yahvéh: mi Roca, no hay falsedad en él." **Salmo 92[91],13a.14-16**

"Hijo mío, no olvides mi lección, en tu corazón guarda mis mandatos, pues largos días y años de vida y bienestar te añadirán." **Proverbios 3,1-2**

"Dichoso el hombre que ha encontrado la sabiduría [...]. Largos días en su derecha, y en su izquierda riqueza y gloria." **Proverbios 3,13a.16**

"Sí, dicha y gracia me acompañarán todos los días de mi vida; mi morada será la casa de Yahvéh a lo largo de los días." **Salmo 23[22],6**

"Fui joven, ya soy viejo, nunca vi al justo abandonado, ni a su linaje mendigando el pan." **Salmo 37[36],25**

"Sea vuestra conducta sin avaricia; contentos con lo que tenéis, pues Él ha dicho: 'No te dejaré ni te abandonaré.'" **Hebreos 13,5**

"Te guarda Yahvéh de todo mal, él guarda tu alma; Yahvéh guarda tu salida y tu entrada, desde ahora y por siempre." **Salmo 121[120],7-8**

"Seguid en todo el camino que Yahvéh vuestro Dios os ha trazado: así viviréis, seréis felices y prolongaréis vuestros días en la tierra que vais a poseer."

Deuteronomio 5,33

"Pongo a Yahvéh ante mís sin cesar; porque él está a mi diestra, no vacilo." **Salmo 16[15],8**

"Sabrás que tu descendencia es numerosa, tus vástagos, como la hierba de la tierra. Llegarás a la tumba vigoroso, como se hacinan las gavillas a su tiempo."

Job 5,25-26

"Comienzo de la sabiduría es el temor de Yahvéh, y la ciencia del Santo es inteligencia. Pues por mí se multiplicarán tus días y se aumentarán los años de tu vida."

Proverbios 9,10-11

3

Promesas de Dios para crecimiento espiritual

En la fe

"Ahora bien, sin fe es imposible agradarle [a Dios], pues el que se acerca a Dios ha de creer que existe y que recompensa a los que le buscan." **Hebreos 11,6**

"La fe es garantía de los que se espera; la prueba de las realidades que no se ven." **Hebreos 11,1**

"Todo lo que ha nacido de Dios vence al mundo. Y lo que ha conseguido la victoria sobre el mundo es nuestra fe." **I Juan 5,4**

"Por eso depende de la fe, para ser favor gratuito, a fin de que la Promesa quede asegurada para toda la posteridad, no tan sólo para los de la ley, sino también para los de la fe de Abraham, padre de todos nosotros." **Romanos 4,16**

"Por lo cual rebosáis de alegría, aunque sea preciso que todavía por algún tiempo seáis afligidos con diversas pruebas, a fin de que la calidad probada de vuestra fe, más preciosa que el oro perecedero que es probado por el fuego, se convierta en motivo de alabanza, de gloria y de honor, en la Revelación de Jesucristo.

A quien amáis sin haberle visto; en quien creéis, aunque de momento no le veáis, rebosando de alegría inefable y gloriosa; y alcanzáis la meta de vuestra fe, la salvación de las almas." **I Pedro 1,6-9**

"Habiendo, pues, recibido de la fe nuestra justificación, estamos en paz con Dios, por nuestro Señor Jesucristo, por quien hemos obtenido también, mediante la fe, el acceso a esta gracia en la cual nos hallamos, y nos gloriamos en la esperanza de la gloria de Dios." **Romanos 5,1-2**

"La fe viene de la predicación, y la predicación, por la Palabra de Cristo." **Romanos 10,17**

"En él se revela la justicia de Dios, de fe en fe, como dice la Escritura: 'El justo vivirá por la fe.'" **Romanos 1,17**

"Y que la ley no justifica a nadie ante Dios es cosa evidente, pues el justo vivirá por la fe." **Gálatas 3,11**

"Jesús les respondió: 'Tened fe en Dios. Yo os aseguro que quien diga a este monte: 'Quítate y arrójate al mar' y no vacile en su corazón sino que crea que va a suceder lo que dice, lo obtendrá. Por eso os digo: todo cuanto pidáis en la oración, creed que ya lo habéis recibido y lo obtendréis." **Marcos 11,22-24**

"Nosotros no somos cobardes para perdición, sino creyentes para salvación del alma." **Hebreos 10,39**

"¿Está enfermo alguno entre vosotros? Llame a los presbíteros de la Iglesia, que oren sobre él y le unjan con óleo en el nombre del Señor. Y la oración de la fe salvará al enfermo, y el Señor hará que se levante, y si hubiera cometido pecados, le serán perdonados." **Santiago 5,14-15**

"En esto, una mujer que padecía flujo de sangre desde hacía doce años, se acercó por detrás y tocó la orla de su manto. Pues se decía para sí: 'Con sólo tocar su manto, quedaré curada.' Jesús se volvió, y al verla le dijo: '¡Ánimo!, hija, tu fe te ha sanado.' Y quedó sana la mujer desde aquel momento." **Mateo 9,20-22**

"La calidad probada de vuestra fe produce la paciencia en el sufrimiento." **Santiago 1,3**

"Todos sois hijos de Dios por la fe en Cristo Jesús." **Gálatas 3,26**

"Y al llegar a casa, se le acercaron los ciegos, y Jesús les dice: '¿Creéis que puedo hacer eso?' Dícenle: 'Sí, Señor.' Entonces les tocó los ojos diciendo: 'Hágase en vosotros según vuestra fe.'" **Mateo 9,28-29**

"A nosotros nos mueve el Espíritu a aguardar por la fe los bienes esperados por la justicia. Porque en Cristo Jesús ni la circuncisión ni la incircuncisión tienen valor, sino solamente la fe que actúa por la caridad."

Gálatas 5,5-6

"Jesús le dijo: '¡Qué es eso de si puedes! ¡Todo es posible para quien cree!'" **Marcos 9,23**

"Habéis sido salvados por la gracia mediante la fe; y esto no viene de vosotros, sino que es don de Dios."

Efesios 2,8

"En virtud de la gracia que me fue dada, os digo a todos y a cada unos de vosotros: No os estiméis en más de los que conviene; tened más bien una sobria estima según la medida de la fe que otorgó Dios a cada cual."

Romanos 12,3

"Deseamos [...] que no os hagáis indolentes, sino más bien imitadores de aquellos que, mediante la fe y la perseverancia, heredan las promesas." **Hebreos 6,11a.12**

"Fiel es el Señor; él os afianzará y os guardará del Maligno." **II Tesalonicenses 3,3**

"Acerquémonos con sincero corazón, en plenitud de fe, purificados los corazones de conciencia mala y lavados los cuerpos con agua pura." **Hebreos 10,22**

"[Jesús] díceles: Porque yo os aseguro: si tenéis fe como un grano de mostaza, diréis a este monte: 'Desplázate de aquí allá', y se desplazará, y nada os será imposible.'"

Mateo 17,20

"¿De qué sirve, hermanos míos, que alguien diga: 'Tengo fe', si no tiene obras? ¿Acaso pordrá salvarle la fe? Si un hermano o una hermana están desnudos y carecen del sustento diario, y alguno de vosotros les dice: 'Idos en paz, calentaos y hartaos', pero no les dais lo necesario para el cuerpo, ¿de qué sirve? Así también la fe, si no tiene obras, está realmente muerta. [...] Porque así como el cuerpo sin espíritu está muerto, así también la fe sin obras está muerta."

Santiago 2,14-17.26

"Escuchad, hermanos míos queridos: ¿Acaso no ha escogido Dios a los pobres según el mundo para hacerlos ricos en la fe y herederos del Reino que prometió a los que le aman?" **Santiago 2,5**

"Caminamos en la fe y no en la visión."

II Corintios 5,7

"Los que por medio de él [Jesús] creéis en Dios, que le ha resucitado de entre los muertos y le ha dado la gloria, de modo que vuestra fe y vuestra esperanza estén en Dios."

I Pedro 1,21

"[Jesús dice:] 'No se turbe vuestro corazón. Creéis en dios; creed también en mí.'" **Juan 14,1**

"Que Cristo habite por la fe en vuestros corazones, para que arraigados y cimentados en el amor, podáis comprender con todos los santos cuál es la anchura y la longitud, la altura y la profundidad, y conocer el amor de Cristo, que excede a todo conocimiento, para que os vayáis llenando hasta la total Plenitud de Dios." **Efesios 3,17-19**

En el amor a Dios

"En esto consiste el amor: no en que nosotros hayamos amado a Dios, sino en que Él nos amó y nos envió a su Hijo como propiciación por nuestros pecados. [...] Y nosotros hemos conocido el amor que Dios nos tiene, y hemos creído en él. Dios es Amor y quien permanece en el amor permanece en Dios y Dios en él. [...] Nosotros amemos, porque Él nos amó primero."　　　　　**I Juan 4,10.16.19**

"El primero [mandamiento] es: 'Escucha Israel: el Señor, nuestro Dios, es el único Señor, y amarás al Señor, tu Dios, con todo tu corazón, con toda tu alma, con toda tu mente y con todas tus fuerzas.' El segundo es: 'Amarás a tu prójimo como a ti mismo.' No existe otro mandamiento mayor que éstos."　　　　　**Marcos 12,29-31**

"El Padre mismo os quiere, porque me habéis querido a mí y habéis creído que salí de Dios."
Juan 16,27

"Como el Padre me amó, yo también os he amado a vosotros; permaneced en mi amor. Si guardáis mis mandamientos, permaneceréis en mi amor, como yo he guardado los mandamientos de mi Padre, y permanezco en su amor. [...] Vosotros sois mis amigos, si hacéis lo que yo os mando."
Juan 15,9-10.14

"El que ha recibido mis mandamientos y los guarda, ese es el que me ama; y el que me ame, será amado de mi Padre; y yo le amaré y me manifestaré a él."
Juan 14,21

"Jesús le respondió: 'Si alguno me ama, guardará mi Palabra, y mi Padre le amará, y vendremos a él, y haremos morada en él. El que no me ama no guarda mis palabras. Y mi Palabra no es mía, sino del que me ha enviado.'"
Juan 14,23-24

"En esto consiste el amor a Dios: en que guardemos sus mandamientos. Y sus mandamientos no son pesados."
I Juan 5,3

"Más bien, como dice la Escritura, anunciamos: 'Lo que ni el ojo vio, ni el oído oyó, ni al corazón del hombre llegó, lo que Dios preparó para los que le aman.'"
I Corintios 2,9

"Has de saber, pues, que Yahvéh tu Dios es el Dios verdadero, el Dios fiel que guarda la alianza y el amor por mil generaciones a los que le aman y guardan sus mandamientos."
Deuteronomio 7,9

"Manteneos en la caridad de Dios, aguardando la misericordia de nuestro Señor Jesucristo para vida eterna."
Judas 21

"Por lo demás, sabemos que en todas las cosas interviene Dios para bien de los que le aman; de aquellos que han sido llamados según su designio." **Romanos 8,28**

"Si uno ama a Dios, ése es conocido por él."
I Corintios 8,3

"Ah, Yahvéh, Dios del cielo, tú, el Dios grande y temible, que guardas la alianza y el amor a los que te aman y observan tus mandamientos." **Nehemías 1,5**

"Tengo misericordia por mil generaciones con los que me aman y guardan mis mandamientos."

Éxodo 20,6

"Guarda Yahvéh a cuantos le aman, a todos los impíos extermina." **Salmo 145[144],20**

En el amor al prójimo

"Vuestra caridad sea sin fingimiento; [...] compartiendo las necesidades de los santos; practicando la hospitalidad."
Romanos 12,9a.13

"Aunque hablara las lenguas de los hombres y de los ángeles, si no tengo caridad, soy como bronce que suena o címbalo que retiñe. Aunque tuviera el don de profecía, y conociera todos los misterios y toda la ciencia; aunque tuviera plenitud de fe como para trasladar montañas, si no tengo caridad, nada soy. Aunque repartiera todos mis bienes, y entregara mi cuerpo a las llamas, si no tengo caridad, nada me aprovecha.

La caridad es paciente, es servicial; la caridad no es envidiosa, nos es jactanciosa, no se engríe; es decorosa; no busca su interés; no se irrita; no toma en cuenta el mal; no se alegra de la injusticia; se alegra con la verdad. Todo lo excusa. Todo lo cree. Todo lo espera. Todo lo soporta. La caridad no acaba nunca." **I Corintios 13,1-8a**

"Yo os digo: Amad a vuestros enemigos y rogad por los que os persigan." **Mateo 5,44**

"Si amáis a los que os aman, ¿qué mérito tenéis? Pues también los pecadores aman a los que les aman. Si hacéis bien a los que os lo hacen a vosotros, ¿qué mérito tenéis? ¡También los pecadores hacen otro tanto! Si prestáis a aquellos de quienes esperáis recibir, ¿qué mérito tenéis? También los pecadores prestan a los pecadores para recibir lo correspondiente. Más bien, amad a vuestros enemigos; haced el bien, y prestad sin esperar nada a cambio; y vuestra recompensa será grande, y seréis hijos del Altísimo, porque él es bueno con los ingratos y los perversos."

Lucas 6,32-35

"Os doy un mandamiento nuevo: que os améis los unos a los otros. Que, como yo os he amado, así os améis también vosotros los unos a los otros. En esto concocerán todos que sois discípulos míos: si os tenéis amor los unos a los otros."

Juan 13,34-35

"Este es el mandamiento mío: que os améis los unos a los otros como yo os he amado. Nadie tiene mayor amor que el que da su vida por sus amigos." **Juan 15,12-13**

"Quien ama a su hermano permanece en la luz y no tropieza." **I Juan 2,10**

"Nosotros sabemos que hemos pasado de la muerte a la vida, porque amamos a los hermanos. Quien no ama permanece en la muerte." **I Juan 3,14**

"Hijos míos, no amemos de palabra ni de boca, sino con obras y según la verdad." **I Juan 3,18**

"Queridos, amémonos unos a otros, ya que el amor es de Dios, y todo el que ama ha nacido de Dios y conoce a Dios. Quien no ama no ha conocido a Dios, porque Dios es Amor." **I Juan 4,7-8**

"Y hemos recibido de Él este mandamiento: quien ama a Dios, ame también a su hermano."

I Juan 4,21

"En esto conocemos que amamos a los hijos de Dios: si amamos a Dios y cumplimos sus mandamientos."
I Juan 5,2

"Sin devolver a nadie mal por mal; procurando el bien ante todos los hombres; en lo posible, y en cuanto de vosotros dependa, en paz con todos los hombres; no tomando la justicia por cuenta vuestra, queridos míos, dejad lugar a la Cólera, pues dice la Escritura: 'Mía es la venganza; yo daré el pago merecido', dice el Señor. Antes al contrario: 'Si tu enemigo tiene hambre, dale de comer; y si tiene sed, dale de beber; haciéndolo así, amontonarás ascuas sobre su cabeza.' No te dejes vencer por el mal; antes bien, vence al mal con el bien." **Romanos 12,17-21**

"Habéis purificado vuestras almas, obedeciendo a la verdad, para amaros los unos a los otros sinceramente como hermanos. Amaos intensamente unos a otros, con corazón puro." **I Pedro 1,22**

"En conclusión, tened todos unos mismos sentimientos, sed compasivos, amaos como hermanos, sed misericordiosos y humildes. No devolváis mal por mal, ni insulto por insulto; por el contrario, bendecid, pues habéis sido llamados a heredar la bendición." **I Pedro 3,8-9**

"Soportándoos unos a otros y perdonándoos mutuamente, si alguno tiene queja contra otro. Como el Señor os perdonó, perdonaos también vosotros. Y por encima de todo esto, revestíos del amor, que es el vínculo de la perfección." **Colosenses 3,13-14**

"Todo cuanto queráis que os hagan los hombres, hacédselo también vosotros; porque esta es la Ley y los Profetas."
Mateo 7,12

"Con nadie tengáis otra deuda que la del mutuo amor. Pues el que ama al prójimo, ha cumplido la ley. En efecto, lo de: 'No adulterarás, no matarás, no robarás, no codiciarás' y todos los demás preceptos, se reumen en esta fórmula: 'Amarás a tu prójimo como a ti mismo.' La caridad no hace mal al prójimo. La caridad es, por tanto, la ley en su plenitud."
Romanos 13,8-10

"Os exhorto, pues, yo, preso por el Señor, a que viváis de una manera digna de la vocación con que habéis sido llamados, con toda humildad, mansedumbre y paciencia, soportándoos unos a otros por amor."
Efesios 4,1-2

"Si alguno que posee bienes de la tierra, ve a su hermano padecer necesidad y le cierra su corazón, ¿cómo puede permanecer en él el amor de Dios? Hijos míos, no amemos de palabra ni de boca, sino con obras y según la verdad. En esto conoceremos que somos de la verdad, y tranquilizaremos nuestra conciencia ante Él." **I Juan 3,17-19**

"Sed, pues, imitadores de Dios, como hijos queridos, y vivid en el amor como Cristo os amó y se entregó por nosotros como oblación y víctima de suave aroma."
Efesios 5,1-2

En el perdón

"Si tu hermano llega a pecar, vete y repréndele, a solas tú con él. Si te escucha, habrás ganado a tu hermano. Si no te escucha, toma todavía contigo uno o dos, para que todo asunto quede zanjado por la palabra de dos o tres testigos. Si no les hace caso a ellos, díselo a la comunidad. Y si ni a la comunidad hace caso, considéralo ya como al gentil y al publicano. Yo os aseguro: todo lo que atéis en la tierra quedará atado en el cielo, y todo lo que desatéis en la tierra quedará desatado en el cielo." **Mateo 18,15-18**

"No devolváis mal por mal, ni insulto por insulto; por el contrario, bendecid, pues habéis sido llamados a heredar la bendición. Pues quien quiera amar la vida y ver días felices, guarde su lengua del mal, y sus labios de palabras engañosas." **I Pedro 3,9-10**

"Que si vosotros perdonáis a los hombres sus ofensas, os perdonará también a vosotros vuestro Padre celestial; pero si no perdonáis a los hombres, tampoco vuestro Padre perdonará vuestras ofensas." **Mateo 6,14-15**

"Soportándoos unos a otros y perdonándoos mutuamente, si alguno tiene queja contra otro. Como el Señor os perdonó, perdonaos también vosotros." **Colosenses 3,13**

"Yo os digo: Amad a vuestros enemigos y rogad por los que os persigan, para que seáis hijos de vuestro Padre celestial, que hace salir su sol sobre malos y buenos, y llover sobre justos e injustos." **Mateo 5,44-45**

"Amad a vuestros enemigos; haced el bien, y prestad sin esperar nada a cambio; y vuestra recompensa será grande, y seréis hijos del Altísimo, porque él es bueno con los ingratos y los perversos. [...] No juzguéis y no seréis juzgados, no condenéis y no seréis condenados. Perdonad y seréis perdonados."
Lucas 6,35.37

"Cuidaos de vosotros mismos. Si tu hermano peca, repréndele; y si se arrepiente, perdónale."
Lucas 17,3

"No digas: 'Voy a devolver el mal'; confía en Yahvéh, que te salvará."
Proverbios 20,22

"El que se venga, sufrirá venganza del Señor, que cuenta exacta llevará de sus pecados. Perdona a tu prójimo el agravio, y, en cuanto lo pidas, te serán perdonados tus pecados. Hombre que a hombre guarda ira, ¿cómo del Señor espera curación? De un hombre como él piedad no tiene, ¡y pide perdón por sus propios pecados! Él, que sólo es carne, guarda rencor, ¿quién obtendrá el perdón de sus pecados? Acuérdate de las postrimerías, y deja ya de odiar, recuerda la corrupción y la muerte, y sé fiel a los mandamientos. Recuerda los mandamientos, y no tengas rencor a tu prójimo, recuerda la alianza del Altísimo, y pasa por alto la ofensa."
Eclesiástico 28,1-7

"Y cuando os pongáis de pie para orar, perdonad, si tenéis algo contra alguno, para que también vuestro Padre, que está en los cielos, os perdone vuestras ofensas."
Marcos 11,25

"Porque bella cosa es tolerar penas, por consideración a Dios, cuando se sufre injustamente. ¿Pues qué gloria hay en soportar los golpes cuando habéis faltado? Pero si obrando el bien soportáis el sufrimiento, esto es cosa bella ante Dios. Pues para esto habéis sido llamados, ya que también Cristo sufrió por vosotros, dejándoos ejemplo para que sigáis sus huellas." **I Pedro 2,19-21**

"Bienaventurados los perseguidos por causa de la justicia, porque de ellos es el Reino de los Cielos. Bienaventurados seréis cuando os injurien, os persigan y digan con mentira toda clase de mal contra vosotros por mi causa. Alegraos y regocijaos, porque vuestra recompensa será grande en los cielos, que de la misma manera persiguieron a los profetas anteriores a vosotros." **Mateo 5,10-12**

"Pedro se le acercó entonces y le dijo: 'Señor, ¿cuántas veces tengo que perdonar las ofensas que me haga mi hermano? ¿Hasta siete veces?' Dícele Jesús: 'No te digo hasta siete veces, sino hasta setenta veces siete.'" **Mateo 18,21-22**

"Dichosos de vosotros, si sois injuriados por el nombre de Cristo, pues el Espíritu de gloria, que es el Espíritu de Dios, reposa sobre vosotros." **I Pedro 4,14**

"Toda acritud, ira, cólera, gritos, maledicencia y cualquier clase de maldad, desaparezca de entre vosotros. Sed más bien buenos entre vosotros, entrañables, perdonándoos mutuamente como os perdonó Dios en Cristo." **Efesios 4,31-32**

"Si tu enemigo tiene hambre, dale de comer; y si tiene sed, dale de beber; haciéndolo así, amontonarás ascuas sobre su cabeza. No te dejes vencer por el mal; antes bien, vence al mal con el bien." **Romanos 12,20-21**

En la alegría

"[Nehemías] díjoles también: '[...] No estéis tristes: la alegría de Yahvéh es vuestra fortaleza.'"
Nehemías 8,10a.c

"¡Exulte yo y en tu amor me regocije! Tú que has visto mi miseria, y has conocido las angustias de mi alma."
Salmo 31[30],8

"La luz se alza para el justo, y para los de recto corazón la alegría."
Salmo 97[96],11

"Gloria es y orgullo el temor del Señor, contento y corona de júbilo. El temor del Señor recrea el corazón, da contento y regocijo y largos días."
Eclesiástico 1,11-12

"Hijo, desde tu juventud haz acopio de doctrina, y hasta encanecer encontrarás sabiduría. [...] Porque al fin hallarás tu descanso, y ella se te trocará en contento."
Eclesiástico 6,18a.28

"Habrá allí una senda pura [...]. Los redimidos de Yahvéh volverán, entrarán en Sión entre aclamaciones, y habrá alegría eterna sobre sus cabezas. ¡Regocijo y alegría les acompañarán! ¡Adios, penar y suspiros!"
Isaías 35,8a.10

"Cuando haya consolado Yahvéh a Sión, haya consolado todas sus ruinas y haya trocado el desierto en Edén y la estepa en Paraíso de Yahvéh, regocijo y alegría se encontrarán en ella, alabanza y son de canciones."
Isaías 51,3

"Por cuanto su vergüenza había sido doble, y afrenta y salivazos fueron su herencia, por eso en su propia tierra heredarán el doble, y tendrán ellos alegría eterna."
Isaías 61,7

"Gloria es y orgullo el temor del Señor, contento y corona de júbilo. El temor del Señor recrea el corazón, da contento y regocijo y largos días." **Eclesiástico 1,11-12**

"Pongo a Yahvéh ante mí sin cesar; porque él está a mi diestra, no vacilo. Pore eso se me alegra el corazón, mis entrañas retozan, y hasta mi carne en seguro descansa."
Salmo 16[15],8-9

"¡Álcese Dios, sus enemigos se dispersen, huyan ante su faz los que le odian! Cual se disipa el humo, se disipan; como la cera se derrite al fuego, perecen los impíos ante Dios. Mas los justos se alegran y exultan ante la faz de Dios, y saltan de alegría." **Salmo 68[67],2-4**

"¡Mas yo en Yahvéh exultaré, jubilaré en el Dios de mi salvación!" **Habacuc 3,18**

"Era tu palabra para mí un gozo y alegría de corazón, porque se me llamaba por tu Nombre, Yahvéh, Dios Sebaot."
Jeremías 15,16b

"Es aquí que yo creo cielos nuevos y tierra nueva, y no serán mentados los primeros ni vendrán a la memoria; antes habrás gozo y regocijo por siempre jamás por lo que voy a crear. Pues he aquí que yo voy a crear a Jerusalén 'Regocijo', y a su pueblo 'Alegría'; me regocijaré por Jerusalén y me alegraré por mi pueblo, sin que se oiga allí jamás lloro ni quejido." **Isaías 65,17-19**

"Como uno a quien su madre le consuela, así yo os consolaré (y por Jerusalén seréis consolados). Al verlo se os regocijará el corazón, vuestros huesos como el césped florecerán, la mano de Yahvéh se dará a conocer a sus siervos, y su enojo a sus enemigos." **Isaías 66,13-14**

"Aquel día se dirá a Jerusalén: [...] Yahvéh tu Dios está en medio de ti, ¡un poderoso salvador! Él exulta de gozo por ti, te renueva por su amor; danza por ti con gritos de júbilo, como en los días de fiesta. Yo quitaré de tu lado la desgracia, el oprobio que pesa sobre ti." **Sofonías 3,16a.17-18**

"No entregues tu alma a la tristeza, ni te atormentes a ti mismo con tus cavilaciones. La alegría del corazón es la vida del hombre, el regocijo del varón, prolongación de sus días. Engaña tu alma y consuela tu corazón, echa lejos de ti la tristeza; que la tristeza perdió a muchos, y no hay en ella utilidad." **Eclesiástico 30,21-23**

"El ángel les dijo: 'No temáis, pues os anuncio una gran alegría, que lo será para todo el pueblo: os ha nacido hoy, en la ciudad de David, un salvador, que es el Cristo Señor.'" **Lucas 2,10-11**

"Y dijo María: 'Engrandece mi alma al Señor y mi espíritu se alegra en Dios mi salvador porque ha puesto los ojos en la humildad de su esclava, por eso desde ahora todas las generaciones me llamarán bienaventurada." **Lucas 1,46-48**

"Regresaron los setenta y dos alegres, diciendo: 'Señor, hasta los demonios se nos someten en tu nombre.' Él les dijo: '[...] Os he dado el poder de pisar sobre serpientes y escorpiones, y sobre toda potencia enemiga, y nada os podrá hacer daño; pero no os alegréis de que los espíritus se os sometan; alegraos de que vuestros nombres estén escritos en los cielos.'" **Lucas 10,17-18a.19-20**

"Yo os aseguro que lloraréis y os lamentaréis, y el mundo se alegrará. Estaréis tristes, pero vuestra tristeza se convertirá en gozo. La mujer, cuando da a luz, está triste, porque le ha llegado su hora; pero cuando el niño le ha nacido, ya no se acuerda del aprieto por el gozo de que ha nacido un hombre en el mundo. También vosotros estáis tristes ahora, pero volveré a veros y se alegrará vuestro corazón y nadie os podrá quitar vuestra alegría." **Juan 16,20-22**

"Si guardáis mis mandamientos, permaneceréis en mi amor, como yo he guardado los mandamientos de mi Padre, y permanezco en su amor. Os he dicho esto, para que mi gozo esté en vosotros, y vuestro gozo sea colmado."

Juan 15,10-11

"Yo os aseguro: [...] Hasta ahora nada le habéis pedido en mi nombre. Pedid y recibiréis, para que vuestro gozo sea colmado." **Juan 16,23b.24**

"Que el Reino de Dios no es comida ni bebida, sino justicia y paz y gozo en el Espíritu Santo."

Romanos 14,17

"Por mi parte os digo: Si vivís según el Espíritu, no daréis satisfacción a las apetencias de la carne. [...] En cambio el fruto del Espíritu es amor, alegría, paz, paciencia, afabilidad, bondad, fidelidad, mansedumbre, templanza."

Gálatas 5,16.22-23a

213

En la esperanza

"Que no queda olvidado el pobre eternamente, no se pierde por siempre la esperanza de los desdichados." **Salmo 9,19**

"Feliz aquel que en el Dios de Jacob tiene su apoyo, y su esperanza en Yahvéh su Dios." **Salmo 146[145],5**

"No envidie tu corazón a los pecadores, más bien tema a Yahvéh todos los días, porque hay un mañana, y no habrá sido vana tu esperanza." **Proverbios 23,17-18**

"También es dulce la ciencia de la sabiduría para tu alma, y si la hallas, hay un mañana, y no habrá sido vana tu esperanza." **Proverbios 24,14**

"En efecto, la esperanza del impío es como brizna llevada por el viento, como espuma ligera arrebatada por el huracán, como humo disipado por el viento; se desvanece como el recuerdo del huésped de un día. Los justos, en cambio, viven eternamente; en el Señor está su recompensa, y su cuidado en el Altísimo. Recibirán por eso de mano del Señor la corona real del honor y la diadema de la hermosura; pues con su diestra les protegerá y les escudará con su brazo." **Sabiduría 5,14-16**

"Dueño de tu fuerza, juzgas con moderación y nos gobiernas con extremada indulgencia porque, con sólo quererlo, lo puedes todo. Obrando así enseñaste a tu pueblo que

214

el justo debe ser humano, y diste a tus hijos la dulce esperanza de que, en el pecado, das lugar al arrepentimiento."
Sabiduría 12,18-19

"Feliz aquel a quien su conciencia no reprocha, y que no queda corrido en su esperanza."
Eclesiástico 14,2

"Feliz el rico que fue hallado intachable, que tras el oro no se fue."
Eclesiástico 31,8

"Quien teme al Señor de nada tiene miedo, y no se intimida, porque él es su esperanza."
Eclesiástico 34,14

"Bendito sea aquel que fía en Yahvéh, pues no defraudará Yahvéh su confianza."
Jeremías 17,7

"Tengo en Dios la misma esperanza que éstos tienen, de que habrá una resurrección, tanto de los justos como de los pecadores. Por eso yo también me esfuerzo por tener constantemente una conciencia limpia entre Dios y ante los hombres."
Hechos 24,15-16

"Habiendo, pues, recibido de la fe nuestra justificación, estamos en paz con Dios, por nuestro Señor Jesucristo, por quien hemos obtenido también, mediante la fe, el acceso a esta gracia en la cual nos hallamos, y nos gloriamos en la esperanza de la gloria de Dios. Más aún; nos gloriamos hasta en las tribulaciones, sabiendo que la tribulación engendra la paciencia; la paciencia, virtud probada; la virtud probada, esperanza, y la esperanza no falla, porque el amor de Dios ha sido derramado en nuestros corazones por el Espíritu Santo que nos ha sido dado." **Romanos 5,1-5**

"Y no sólo ella [la creación]; también nosotros, que poseemos las primicias del Espíritu, nosotros mismos gemimos en nuestro interior anhelando el rescate de nuestro cuerpo. Porque nuestra salvación es objeto de esperanza; y una esperanza que se ve, no es esperanza, pues ¿cómo es posible esperar una cosa que se ve? Pero esperar lo que no vemos, es aguardar con paciencia." **Romanos 8,23-25**

"Él nos salvó, no por obras de justicia que hubiésemos hecho nosotros, sino según su misericordia, por medio del baño de regeneración y de renovación del Espíritu Santo, que él derramó sobre nosotros con largueza por medio de Jesucristo nuestro Salvador, para que, justificados por su gracia, fuésemos constituidos herederos, en esperanza, de vida eterna." **Tito 3,5-7**

"Cristo lo fue [fiel] como hijo, al frente de su propia casa, que somos nosotros, si es que mantenemos la entereza y la gozosa satisfacción de la esperanza." **Hebreos 3,6**

"Mantengamos firme la confesión de la esperanza, pues fiel es el autor de la Promesa." **Hebreos 10,23**

"Bendito sea el Dios y Padre de nuestro Señor Jesucristo, quien, por su gran misericordia, mediante la Resurrección de Jesucristo de entre los muertos, nos ha reengendrado a una esperanza viva, a una herencia incorruptible, inmaculada e inmarcesible, reservada en los cielos para vosotros." **I Pedro 1,3-4**

"Los que por medio de él creéis en Dios, que le ha resucitado de entre los muertos y le ha dado la gloria, de modo que vuestra fe y vuestra esperanza estén en Dios."

I Pedro 1,21

"Siempre dispuestos a dar respuesta a todo el que os pida razón de vuestra esperanza. Pero hacedlo con duizura y respeto. Mantened una buena conciencia, para que aquello mismo que os echen en cara, sirva de confusión a quienes critiquen vuestra buena conducta en Cristo."

I Pedro 3,15c-16

"Queridos, ahora somos hijos de Dios y aún no se ha manifestado lo que seremos. Sabemos que, cuando se manifieste, seremos semejantes a Él, porque Le veremos tal cual es. Todo el que tiene esta esperanza en Él se purifica a sí mismo, como él es puro."   **I Juan 3,2-3**

"Por eso Dios, queriendo mostrar más plenamente a los herederos de la Promesa la inmutabilidad de su decisión, interpuso el juramento, para que, mediante dos cosas inmutables por las cuales es imposible que Dios mienta, nos veamos más poderosamente animados los que buscamos un refugio asiéndonos a la esperanza propuesta, que nosotros tenemos como segura y sólida ancla de nuestra alma, y que penetra hasta más allá del velo, adonde entró por nosotros como precursor Jesús, hecho, a semejanza de Melquisedec, Sumo Sacerdote para siempre."

Hebreos 6,17-20

"Por lo demás, sabemos que en todas las cosas interviene Dios para bien de los que le aman; de aquellos que han sido llamado según su designio." **Romanos 8,28**

217

En la piedad

"Ejercítate en la piedad. Los ejercicios corporales sirven para poco; en cambio la piedad es provechosa para todo, pues tiene la promesa de la vida, de la presente y de la futura." **I Timoteo 4,7b-8**

"Ciertamente es un gran negocio la piedad, con tal de que se contente con lo que tiene." **I Timoteo 6,6**

"Tú, en cambio, hombre de Dios, huye de estas cosas; corre al alcance de la justicia, de la piedad, de la fe, de la caridad, de la paciencia en el sufrimiento, de la dulzura." **I Timoteo 6,11**

"Todos los que quieran vivir piadosamente en Cristo Jesús, sufrirán persecuciones." **II Timoteo 3,12**

"Nos enseña a que, renunciando a la impiedad y a las pasiones mundanas, vivamos con sensatez, justicia y piedad en el siglo presente, aguardando la feliz esperanza y la Manifestación de la gloria del gran Dios y Salvador nuestro Jesucristo." **Tito 2,12-13**

"Su divino poder nos ha concedido cuanto se refiere a la vida y a la piedad, mediante el conocimiento perfecto del que nos ha llamado por su propia gloria y virtud, por medio de las cuales nos han sido concedidas las preciosas y sublimes promesas, para que por ellas os hicierais partícipes de la naturaleza divina, huyendo de la corrupción que hay en el mundo por la concupiscencia. Por esta misma razón, poned el mayor empeño en añadir a vuestra fe la virtud, a la virtud el conocimiento, al conocimiento la templanza, a la templanza la paciencia en el sufrimiento, a la paciencia en el sufrimiento la piedad, a la piedad el amor fraterno, al amor fraterno la caridad. Pues si tenéis estas cosas y las tenéis en abundancia, no os dejarán inactivos ni estériles para el conocimiento perfecto de nuestro Señor Jesucristo." **II Pedro 1,3-8**

"Puesto que todas estas cosas han de disolverse así, ¿cómo conviene que seáis en vuestra santa conducta y en la piedad, esperando y acelerando la venida del Día de Dios, en el que los cielos, en llamas, se disolverán, y los elementos, abrasados, se fundirán? Pero esperamos, según nos lo tiene prometido, nuevos cielos y nueva tierra, en los que habite la justicia." **II Pedro 3,11-13**

En la oración

"Antes que me llamen, yo responderé; aún estarán hablando, y yo les escucharé." **Isaías 65,24**

"Llámame y te responderé y mostraré cosas grandes, inaccesibles, que desconocías." **Jeremías 33,3**

"Yo miro hacia Yahvéh, espero en el Dios de mi salvación: mi Dios me escuchará." **Miqueas 7,7**

"Yo amo a Yahvéh, porque él escucha el clamor de mis súplicas; porque hacia mí su oído inclina el día en que yo clamo." **Salmo 116[114],1-2**

"De igual manera, el Espíritu viene en ayuda de nuestra flaqueza. Pues nosotros no sabemos pedir como conviene; mas el Espíritu mismo intercede por nosotros con gemidos inefables." **Romanos 8,26**

"Tu, en cambio, cuando vayas a orar, entra en tu aposento y, después de cerrar la puerta, ora a tu Padre que está allí, en lo secreto; y tu Padre, que ve en lo secreto, te recompensará." **Mateo 6,6**

"Por eso os digo: todo cuanto pidáis en la oración, creed que ya lo habéis recibido y lo obtendréis. Y cuando os pongáis de pie para orar, perdonad, si tenéis algo contra alguno, para que también vuestro Padre, que está en los cielos, os perdone vuestras ofensas. [Pero si vosotros no perdonáis, tampoco vuestro Padre que está en los cielos perdonará vuestras ofensas.]" **Marcos 11,24-26**

"Yahvéh se aleja de los malos, y escucha la plegaria de los justos." **Proverbios 15,29**

"En efecto, ¿hay alguna nación tan grande que tenga los dioses tan cerca como lo está Yahvéh nuestro Dios siempre que le invocamos?" **Deuteronomio 4,7**

"Tú eres, Señor, bueno, indulgente, rico en amor para todos aquellos que te invocan. [...] En el día de mi angustia yo te invoco, pues tú me has de responder." **Salmo 86[85],5.7**

"Acercaos a Dios y él se acercará a vosotros. Purificaos, pecadores, las manos; limpiad los corazones, hombres irresolutos." **Santiago 4,8**

"Yo, en cambio, a Dios invoco, y Yahvéh me salvará." **Salmo 55[54],17**

"Ahora bien, sin fe es imposible agradarle, pues el que se acerca a Dios ha de creer que existe y que recompensa a los que le buscan." **Hebreos 11,6**

"Orad constantemente. En todo dad gracias, pues esto es lo que Dios, en Cristo Jesús, quiere de vosotros." **I Tesalonicenses 5,17-18**

"La oración de la fe salvará al enfermo, y el Señor hará que se levante, y si hubiera cometido pecados, le serán perdonados. Confesaos, pues, mutuamente vuestros pecados y orad los unos por los otros, para que seáis curados. La oración ferviente del justo tiene mucho poder."

Santiago 5,15-16

"Pedid y se os dará; buscad y hallaréis; llamad y se os abrirá. Porque todo el que pide, recibe; el que busca, halla; y al que llama, se le abrirá." **Mateo 7,7-8**

"Y todo cuanto pidáis con fe en la oración, lo recibiréis."

Mateo 21,22

"Yo os aseguro también que si dos de vosotros se ponen de acuerdo en la tierra para pedir algo, sea lo que fuere, lo conseguirán de mi Padre que está en los cielos. Porque donde están dos o tres reunidos en mi nombre, allí estoy en medio de ellos." **Mateo 18,19-20**

"Por eso os digo: todo cuanto pidáis en la oración, creed que ya lo habéis recibido y lo obtendréis."

Marcos 11,24

"Si permanecéis en mí, y mis palabras permanecen en vosotros, pedid lo que queráis y lo conseguiréis."

Juan 15,7

"Yo os aseguro: lo que pidáis al Padre en mi nombre, os lo dará." **Juan 16,23b**

"Acerquémonos, por tanto, confiadamente al trono de gracia, a fin de alcanzar misericordia y hallar gracia para ser socorridos en el tiempo oportuno."

Hebreos 4,16

"La salvación de los justos viene de Yahvéh, él su refugio en tiempo de angustia; Yahvéh los ayuda y los libera, él te librará de los impíos, los salva porque en él se cobijan."

Salmo 37[36],39-40

"Me llamará y le responderé; estaré a su lado en la desgracia, le libraré y le glorificaré." **Salmo 91[90],15**

"Cercano está Yahvéh de aquellos que le invocan, de todos los que le invocan con verdad. Él cumple el deseo de aquellos que le temen, escucha su clamor y los libera."

Salmo 145[144],18-19

"Yahvéh se aleja de los malos, y escucha la plegaria de los justos." **Proverbios 15,29**

"Cuanto pidamos lo recibimos de Él, porque guardamos sus mandamientos y hacemos lo que Le agrada."

I Juan 3,22

En la perseverancia

"Seréis odiados de todos por causa de mi nombre. Pero no perecerá ni un cabello de vuestra cabeza. Con vuestra perseverancia salvaréis vuestras almas."

Lucas 21,17-19

"Seréis odiados de todos por causa de mi nombre; pero el que persevere hasta el fin, ése se salvará."

Mateo 10,22

"Surgirán muchos falsos profetas, que engañarán a muchos. Y al crecer cada vez más la iniquidad, la caridad de la mayoría se enfriará."

Mateus 24,11-12

"Todos ellos perseveraban en la oración con un mismo espíritu en compañía de algunas mujeres, de María, la madre de Jesús, y de sus hermanos."

Hechos 1,14

"Acudían asiduamente a la enseñanza de los apóstoles, a la comunión, a la fracción del pan y a las oraciones."

Hechos 2,42

"[El justo juicio de Dios] dará a cada cual según sus obras: a los que, por la perseverancia en el bien busquen gloria, honor e inmortalidad: vida eterna; mas a los rebeldes, indóciles a la verdad y dóciles a la injusticia: cólera e indignación '

Romanos 2,6-8

"Sed perseverantes en la oración, velando en ella con acción de gracias."

Colosenses 4,2

"Es cierta esta afirmación: Si hemos muerto con él, también viviremos con él; si nos mantenemos firmes, también reinaremos con él." **II Timoteo 2,11-12a**

"En cambio el que considera atentamente la Ley perfecta de la libertad y se mantiene firme, no como oyente olvidadizo sino como cumplidor de ella, ése, practicándola, será feliz." **Santiago 1,25**

"Siempre en oración y súplica, orando en toda ocasión en el Espíritu, velando juntos con perseverancia e intercediendo por todos los santos." **Efesios 6,18**

"Compartisteis los sufrimientos de los encarcelados; y os dejasteis despojar con alegría de vuestros bienes, conscientes de que poseíais una riqueza mejor y más duradera. No perdáis ahora vuestra confianza, que lleva consigo una gran recompensa. Necesitáis paciencia en el sufrimiento para cumplir la voluntad de Dios y conseguir así lo prometido." **Hebreos 10,34-36**

"Nosotros, teniendo en torno nuestro tan gran nube de testigos, sacudamos todo lastre y el pecado que nos asedia, y corramos con fortaleza la prueba que se nos propone, fijos los ojos en Jesús, el que inicia y consuma la fe, el cual, en lugar del gozo que se le proponía, soportó la cruz sin miedo a la ignominia, y está sentado a la diestra del trono de Dios. Fijaos en aquel que soportó tal contradicción de parte de los pecadores, para que no desfallezcais faltos de ánimo." **Hebreos 12,1-3**

"Conozco tu conducta: tus fatigas y tu paciencia en el sufrimiento; que no puedes soportar a los malvados y que pusiste a prueba a los que se llamaban apóstoles sin serlo y descubriste su engaño. Tienes paciencia en el sufrimiento: has sufrido por mi nombre sin desfallecer."

Apocalipsis 2,2-3

"Nosotros no dejamos de rogar por vosotros [...]; confortados con toda fortaleza por el poder de su gloria, para toda constancia en el sufrimiento y paciencia; dando con alegría gracias al Padre que os ha hecho aptos para participar en la herencia de los santos en la luz."

Colosenses 1,9b.11-12

"Vuestra fe está progresando mucho y se acrecienta la mutua caridad de todos y cada uno de vosotros, hasta tal punto que nosotros mismos nos gloriamos de vosotros en las Iglesias de Dios por la paciencia y la fe con que soportáis todas las persecuciones y tribulaciones que estáis pasando."

II Tesalonicenses 1,3b-4

En la sabiduría

"Hijo mío, si das acogida a mis palabras, y guardas en tu memoria mis mandatos, prestando tu oído a la sabiduría, inclinando tu corazón a la prudencia; si invocas a la inteligencia y llamas a voces a la prudencia; si la buscas como la plata y como un tesoro la rebuscas, entonces entenderás el temor de Yahvéh y la ciencia de Dios encontrarás. Porque Yahvéh es el que da la sabiduría, de su boca nacen la ciencia y la prudencia." **Proverbios 2,1-6**

"Cuando entre la sabiduría e tu corazón y la ciencia sea dulce para tu alma, velará sobre ti la reflexión y la prudencia te guardará, apartándote del mal camino, del hombre que propone planes perversos, [...]. Por eso has de ir por el camino de los buenos, seguirás las sendas de los justos. Porque los rectos habitarán la tierra y los íntegros se mantendrán en ella." **Proverbios 2,10-12.20-21**

"El comienzo de la sabiduría es: adquiere la sabiduría, a costa de todos tus bienes adquiere la inteligencia. Haz acopio de ella, y ella te ensalzará; ella te honrará, si tú la abrazas; pondrá en tu cabeza una diadema de gracia, una espléndida corona será tu regalo.

Escucha, hijo mío, recibe mis palabras, y los años de tu vida se te multiplicarán. En el camino de la sabiduría te he instruido, te he encaminado por los senderos de la rectitud." **Proverbios 4,7-11**

"Desead, pues, mis palabras; ansiadlas, que ellas os instruirán. Radiante es la Sabiduría, jamás pierde su brillo. Fácilmente la contemplan los que la aman y la encuentran los que la buscan. Se antecipa a darse a conocer a los que la anhelan. [...] Pensar en ella es la perfección de la prudencia, y quien por ella se desvelare, pronto se verá sin cuidados. [...] Porque su comienzo, el más seguro, es el deseo de instruirse, procurar instruirse es amarla, amarla es guardar sus leyes, atender a sus leyes es asegurarse la incorruptibilidad y la incorruptibilidad hace estar cerca de Dios."

Sabiduría 6,11-13.15.17-19

"A todo movimiento supera en movilidad la Sabiduría, todo lo atraviesa y penetra en virtud de su pureza. Es un hálito del poder de Dios, una emanación pura de la gloria del Omnipotente, por lo que nada manchado llega a alcanzarla. Es un reflejo de la luz eterna, un espejo sin mancha de la actividad de Dios, una imagen de su bondad."

Sabiduría 7,24-26

"En todas las edades entra en las almas santas y forma en ellas amigos de Dios y profetas, porque Dios no ama sino a quien vive con la Sabiduría." **Sabiduría 7,27c-28**

"Toda sabiduría viene del Señor, y con él está por siempre. [...] Manantial de sabiduría es la palabra de Dios en las alturas; sus pasos son las leyes eternas."

Eclesiástico 1,1.5

"Principio de sabiduría es temer al Señor, creada con los fieles, les acompaña desde el seno materno. Entre los hombres puso su nido, fundación eterna, y con su linaje se mantendrá fielmente. Plenitud de la sabiduría es temer al Señor." **Eclesiástico 1,14-16a**

"Ciencia y conocimiento inteligente hizo llover, y la gloria de los que la poseen exaltó. Raíz de la sabiduría es temer al Señor, sus ramas, los largos días."

Eclesiástico 1,19b-20

"En los tesoros de la sabiduría están los enigmas de la ciencia, mas abominación para el pecador es la piedad para con Dios. Si apeteces sabiduría, guarda los mandamientos, y el Señor te la dispensará." **Eclesiástico 1,25-26**

"Si apeteces sabiduría, guarda los mandamientos, y el Señor te la dispensará. Pues sabiduría y enseñanza es el temor del Señor; su complacencia, la fidelidad y mansedumbre." **Eclesiástico 1,26-27**

"Hijo, si te llegas a servir al Señor, prepara tu alma para la prueba. Endereza tu corazón, manténte firme, y no te aceleres en la hora de la adversidad."

Eclesiástico 2,1-2

"El corazón del prudente medita los enigmas, un oído atento es anhelo del sabio. El agua apaga el fogo llameante, la limosna perdona los pecados. Quien con favor responde prepara el porvenir, el día de su caída encontrará un apoyo."

Eclesiástico 3,29-31

"La sabiduría a sus hijos exalta, y cuida de los que la buscan. El que la ama, ama la vida, los que en su busca madrugan serán colmados de contento. El que la posee tendrá gloria en herencia, dondequiera que él entre, le bendecirá el Señor. Los que la sirven, rinden culto al Santo, a los que la aman, los ama el Señor. El que la escucha, juzgará a las naciones, el que la sigue, su tienda montará en seguro. Si se confía a ella, la poseerá en herencia, y su posteridad seguirá poseyéndola." **Eclesiástico 4,11-16**

"Hijo, desde tu juventud haz acopio de doctrina, y hasta encanecer encontrarás sabiduría. Como el labrador y el sembrador, trabájala, y cuenta con sus mejores frutos, que un poco te fatigarás en su cultivo, y bien pronto comerás de sus productos. [...] Pues la disciplina hace honor a su nombre, no se hace patente a muchos."
Eclesiástico 6,18-19.22

"Si quieres, hijo, serás adoctrinado, si te aplicas bien, entenderás de todo. Si te gusta escuchar, aprenderás, si inclinas tu oído, serás sabio." **Eclesiástico 6,32-33**

"Medita en los preceptos del Señor, aplícate sin cesar a sus mandamientos. Él mismo afirmará tu corazón, y se te dará la sabiduría que deseas." **Eclesiástico 6,37**

"Feliz el hombre que se ejercita en la sabiduría, y que en su inteligencia reflexiona, que medita sus caminos en su corazón, y sus secretos considera. Sale en su busca como el que sigue el rastro, y en sus caminos se pone al acecho."
Eclesiástico 14,20-22

"Pero, antes de todo esto, os echarán mano y os perseguirán, entregándoos a las sinagogas y cárceles y llevándoos ante reyes y gobernadores por mi nombre. [...] Proponed, pues, en vuestro corazón no preparar la defensa, porque yo os daré una elocuencia y una sabiduría a la que no podrán resistir ni contradecir todos vuestros adversarios."
Lucas 21,12.14-15

"La predicación de la cruz es una necedad para los que se pierden; mas para los que se salvan – para nosotros – es fuerza de Dios. Porque dice la Escritura: 'Destruiré la sabiduría de los sabios, e inutilizaré la inteligencia de los inteligentes.' ¿Dónde está el sabio? ¿Dónde el docto? ¿Dónde el sofista de este mundo? ¿Acaso no entonteció Dios la sabiduría del mundo? De hecho, como el mundo mediante su propia sabiduría no conoció a Dios en su divina sabiduría, quiso Dios salvar a los creyentes mediante la necedad de la predicación." **I Corintios 1,18-21**

"Ningún mortal se gloríe en la presencia de Dios. De él os viene que estéis en Cristo Jesús, al cual hizo Dios para nosotros sabiduría, justicia, santificación y redención." **I Corintios 1,29-30**

"Hablamos de una sabiduría de Dios, misteriosa, escondida, destinada por Dios desde antes de los siglos para gloria nuestra, desconocida de todos los príncipes de este mundo – pues de haberla conocido no hubieran crucificado al Señor de la Gloria." **I Coríntios 2,7-8**

"[Ruego] que el Dios de nuestro Señor Jesucristo, el Padre de la gloria, os conceda espíritu de sabiduría y de revelación para conocerle perfectamente; iluminando los ojos de vuestro corazón para que conozcáis cuál es la esperanza a que habéis sido llamados por él; cuál la riqueza de la gloria otorgada por él en herencia a los santos, y cuál la soberana grandeza de su poder para con nosotros, los creyentes." **Efesios 1,17-19a**

"La Palabra de Cristo habite en vosotros con toda su riqueza; instruíos y amonestaos con toda sabiduría, cantad agradecidos a Dios en vuestros corazones con salmos, himnos y cánticos inspirados." **Colosenses 3,16**

"Portaos prudentemente con los de fuera, aprovechando bien el tiempo presente. Que vuestra conversación sea siempre amena, salpicada con sal, sabiendo responder a cada cual como conviene." **Colosenses 4,5-6**

"Si alguno de vosotros está a falta de sabiduría, que la pida a Dios, que da a todos generosamente y sin echarlo en cara, y se la dará. Pero que la pida con fe, sin vacilar; porque el que vacila es semejante al oleaje del mar, movido por el viento y llevado de una a otra parte." **Santiago 1,5-6**

"En cambio la sabiduría que viene de lo alto es, en primer lugar, pura, además pacífica, complaciente, dócil, llena de compasión y buenos frutos, imparcial, sin hipocresía." **Santiago 3,17**

En la fortaleza

"Dios es para nosotros refugio y fortaleza, un socorro en la angustia siempre a punto. Por eso no tememos si se altera la tierra, si los montes se conmueven en el fondo de los mares, aunque sus aguas bramen y borboten, y los montes retiemblen a su ímpetu. (¡Con nosotros Yahvéh Sebaot, baluarte para nosotros, el Dios de Jacob!)"

Salmo 46[45],2-4

"Cuando digo: 'Vacila mi pie', tu amor, oh Yahvéh, me sostiene." **Salmo 94[93],18**

"Bendito sea Yahvéh, mi Roca, que adiestra mis manos para el combate [...]; él, mi amor y mi baluarte, mi ciudadela y mi libertador, mi escudo en el que me cobijo."

Salmo 144[143],1a.2a

"Yahvéh mi señor es mi fuerza, él me da pies como los de ciervas, y por las alturas me hace caminar."

Habacuc 3,19a

"Para el íntegro es una fortaleza la senda de Yahvéh."

Proverbios 10,29a

"Ruge Yahvéh desde Sión, desde Jerusalén da su voz: ¡el cielo y la tierra se estremecen! Mas Yahvéh será un refugio para su pueblo, una fortaleza para los hijos de Israel."

Joel 4,16

233

"No temas, que yo te he rescatado, te he llamado por tu nombre. Tú eres mío. [...] Porque yo soy Yahvéh tu Dios, [...]. Dado que eres precioso a mis ojos, eres estimado, y yo te amo. Pondré la humanidad en tu lugar, y los pueblos en pago de tu vida." **Isaías 43,1b.3a.4**

"Confiad en Yahvéh por siempre jamás, porque en Yahvéh tenéis una Roca eterna." **Isaías 26,4**

"En todo esto salimos vencedores gracias a aquel que nos amó. Pues estoy seguro de que ni la muerte ni la vida ni los ángeles ni los principados ni lo presente ni lo futuro ni las potestades ni la altura ni la profundidad ni otra criatura alguna podrá separarnos del amor de Dios manifestado en Cristo Jesús Señor nuestro." **Romanos 8,37-39**

"Los ojos del Señor miran a los justos y sus oídos escuchan su oración, pero el rostro del Señor contra los que obran el mal." **I Pedro 3,12**

En la fidelidad

"Hijo mío, no olvides mi lección, en tu corazón guarda mis mandatos, pues largos días y años de vida y bienestar te añadirán. La piedad y la lealtad no te abandonen; átalas a tu cuello, escríbelas en la tablilla de tu corazón."
Proverbios 3,1-3

"¿Quién es, pues, el siervo fiel y prudente, a quien el señor puso al frente de su servidumbre para darles la comida a su tiempo?" **Mateo 24,45**

"Díjole su señor: '¡Bien, siervo bueno y fiel!; has sido fiel en lo poco, te pondré por eso al frente de lo mucho; entra en el gozo de tu señor.'" **Mateo 25,21**

"El que es fiel en lo mínimo, lo es también en lo mucho; y el que es injusto en lo mínimo, también lo es en lo mucho." **Lucas 16,10**

"Le respondió: '¡Muy bien, siervo bueno!; ya que has sido fiel en lo mínimo, toma el gobierno de diez ciudades.'" **Lucas 19,17**

"Por tanto, que nos tengan los hombres por servidores de Cristo y administradores de los misterios de Dios. Ahora bien, lo que se exige de los administradores es que sean fieles." **I Coríntios 4,1-2**

"Manténte fiel hasta la muerte y te daré la corona de la vida." **Apocalipsis 2,10d**
vida."

"Éstos harán la guerra al Cordero, pero el Cordero, como es Señor de Señores y Rey de Reyes, los vencerá, en unión con los suyos, los llamados, los elegidos y los fieles."

Apocalipsis 17,14

"En cambio el fruto del Espíritu es amor, alegría, paz, paciencia, afabilidad, bondad, fidelidad, mansedumbre, templanza; contra tales cosas no hay ley. Pues los que son de Cristo Jesús, han crucificado la carne con sus pasiones y sus apetencias. Si vivimos según el Espíritu, obremos también según el Espíritu."

Gálatas 5,22-25

Parte III

Plan de salvación

Dios es santo

"Habla a toda la comunidad de los hijos de Israel y diles: Sed santos, porque yo, Yahvéh, vuestro Dios, soy santo."

Levítico 19,2

"Le tendrás por santo, porque él es quien presenta el alimento de tu Dios; por tanto será santo para ti, pues santo soy yo, Yahvéh, el que os santifico."

Levítico 21,8

"No hay Santo como Yahvéh."

I Samuel 2,2a

"Y se gritaban el uno al otro: 'Santo, santo, santo, Yahvéh Sebaot: llena está toda la tierra de su gloria.'"

Isaías 6,3

"Dad gritos de gozo y de júbilo, moradores de Sión, que grande es en medio de ti el Santo de Israel."

Isaías 12,6

"Soy Dios, no hombre; en medio de ti yo el Santo, y no me gusta destruir."   **Oseas 11,9b**

"Así como el que os ha llamado es santo, así también vosotros sed santos en toda vuestra conducta, como dice la Escritura: 'Seréis santos, porque santo soy yo.'"

I Pedro 1,15-16

"Los cuatros Seres tienen cada uno seis alas, están llenos de ojos todo alrededor y por dentro, y repiten sin descanso día y noche: 'Santo, Santo, Santo, Señor, Dios Todopoderoso, Aquel que era, que es y que va a venir.'"

Apocalipsis 4,8

"¿Quién no temerá, Señor, y no glorificará tu nombre? Porque sólo tú eres santo, y todas las naciones vendrán y se postrarán ante ti, porque han quedado de manifiesto tus justos designios."   **Apocalipsis 15,4**

Dios creo al hombre
a Su imagen y semejanza

"Dijo Dios: 'Hagamos el hombre a imagen nuestra, según nuestra semejanza, y dominen en los peces del mar, en las aves del cielo, en los ganados y en todas las alimañas, y en toda sierpe que serpea sobre la tierra.' Y creó Dios el hombre a imagen suya: a imagen de Dios le creó; macho y hembra los creó. Y los bendijo Dios y les dijo: 'Sed fecundos y multiplicaos.'" **Génesis 1,26-28a**

"Dios creó al hombre incorruptible, le hizo imagen de su misma naturaleza." **Sabiduría 2,23**

"Todos nosotros, que con el rostro descubierto reflejamos como en un espejo la gloria del Señor, nos vamos transformando en esa misma imagen cada vez más gloriosos, conforme a la acción del Señor, que es Espíritu." **II Corintios 3,18**

"Y del mismo modo que hemos revestido la imagen del hombre terreno, revestiremos también la imagen del celeste." **I Corintios 15,49**

"A los que de antemano conoció, también los predestinó a reproducir la imagen de su Hijo, para que fuera él el primogénito entre muchos hermanos." **Romanos 8,29**

Precepto de Dios: obediencia

"Tomó, pues, Yahvéh Dios al hombre y le dejó en el jardín de Edén, para que lo labrase y cuidase. Y Dios impuso al hombre este mandamiento: 'De cualquier árbol del jardín puedes comer, mas del árbol de la ciencia del bien y del mal no comerás, porque el día que comieres de él, morirás sin remedio.'" **Génesis 2,15-17**

Respuesta del hombre a Dios: desobediencia

"La serpiente era el más astuto de todos los animales del campo que Yahvéh Dios había hecho. Y dijo a la mujer: '¿Cómo es que Dios os ha dicho: No comáis de ninguno de los árboles del jardín?' Respondió la mujer a la serpiente: 'Podemos comer del fruto de los árboles del jardín. Mas del fruto del árbol que está en medio del jardín, ha dicho Dios: No comáis de él, ni lo toquéis, so pena de muerte.' Replicó la serpiente a la mujer: 'De ninguna manera moriréis. Es que Dios sabe muy bien que el día en que comiereis de él, se os abrirán los ojos y seréis como dioses, conocedores del bien y del mal.' Y como viese la mujer que el árbol era bueno para comer, apetecible a la vista y excelente para lograr sabiduría, tomó de su fruto y comió, y dio también a su marido, que igualmente comió."

Génesis 3,1-6

Consecuencia del pecado: muerte

"A la mujer le [Dios] dijo: 'Tantas haré tus fatigas cuantos sean tus embarazos: con trabajo parirás los hijos. Hacia tu marido irá tu apetencia, y él te dominará. Al hombre le dijo: 'Por haber escuchado la voz de tu mujer y comido del árbol del que Yo te había prohibido comer, maldito sea el suelo por tu causa: con fatiga sacarás de él el alimento todos los días de tu vida. Espinas y abrojos te producirá, y comerás la hierba del campo. Con el sudor de tu rostro comerás el pan, hasta que vuelvas al suelo, pues de él fuiste tomado. Porque eres polvo y al polvo tornarás. [...] Y le echó Yahvéh Dios del jardín de Edén, para que labrase el suelo de donde había sido tomado. Y habiendo expulsado al hombre, puso delante del jardín de Edén querubines, y la llama de espada vibrante, para guardar el camino del árbol de la vida."

Génesis 3,16-19.23-24

"El salario del pecado es la muerte."

Romanos 6,23a

"Por envidia del diablo entró la muerte en el mundo, y la experimentan los que le pertenecen."

Sabiduría 2,24

Pecado: herencia que contaminó a la humanidad – Somos todos pecadores

"Como por un solo hombre entró el pecado en el mundo y por el pecado la muerte y así la muerte alcanzó a todos los hombres, por cuanto todos pecaron."

Romanos 5,12

"Entonces ¿qué? ¿Llevamos ventaja? ¡De ningún modo! Pues ya demostramos que tanto judíos como griegos están todos bajo el pecado, como dice la Escritura: 'No hay quien sea justo, ni siquiera uno solo. No hay un sensato, no hay quien busque a Dios. Todos se desviaron, a una se corrompieron; no hay quien obre el bien, no hay siquiera uno.'"

Romanos 3,9-12

"Todos pecaron y están privados de la gloria de Dios."

Romanos 3,23

"En efecto, si por el delito de uno solo reinó la muerte por un solo hombre." **Romanos 5,17a**

"Como el delito de uno solo atrajo sobre todos los hombres la condenación." **Romanos 5,18a**

Precio de nuestra salvación: la Sangre de Jesús

"Según la Ley, casi todas las cosas han de ser purificadas con sangre, y sin efusión de sangre no hay remisión."
Hebreos 9,22

"¡Y con todo eran nuestras dolencias las que él llevaba y nuestros dolores los que soportaba! Nosotros le tuvimos por azotado, herido de Dios y humillado. Él ha sido herido por nuestras rebeldías, molido por nuestras culpas. Él soportó el castigo que nos trae la paz, y con sus cardenales hemos sido curados. Todos nosotros como ovejas erramos, cada uno marchó por su camino, y Yahvéh descargó sobre él la culpa de todos nosotros." **Isaías 53,4-6**

"Justicia de Dios por la fe en Jesucristo, para todos los que creen – pues no hay diferencia alguna; todos pecaron y están privados de la gloria de Dios – y son justificados por el don de su gracia, en virtud de la redención realizada en Cristo Jesús, a quien Dios exhibió como instrumento de propiciación por su propia sangre, mediante la fe, para mostrar su justicia, pasando por alto los pecados cometidos anteriormente." **Romanos 3,22-25**

"A quien no conoció pecado, le hizo pecado por nosotros, para que viniésemos a ser justicia de Dios en él."
II Coríntios 5,21

"Cristo nos rescató de la maldición de la ley, haciéndose él mismo maldición por nosotros, pues dice la Escritura: 'Maldito todo el que está colgado de un madero.'"
Gálatas 3,13

"Tomó luego un cáliz y, dadas las gracias, se lo dio diciendo: 'Bebed de él todos, porque esta es mi sangre de la Alianza, que va a ser derramada por muchos para remisión de los pecados.'" **Mateo 26,27-28**

"En él tenemos por medio de su sangre la redención, el perdón de los delitos, según la riqueza de su gracia." **Efesios 1,7**

"Presentóse Cristo como Sumo Sacerdote de los bienes futuros, a través de una Tienda mayor y más perfecta, no fabricada por mano de hombre, es decir, no de este mundo. Y penetró en el santuario una vez para siempre, no con sangre de machos cabríos ni de novillos, sino con su propia sangre, consiguiendo una redención eterna." **Hebreos 9,11-12**

"Teniendo, pues, hermanos, plena seguridad para entrar en el santuario en virtud de la sangre de Jesús, por este camino nuevo y vivo, inaugurado por él para nosotros, a través del velo, es decir, de su propia carne." **Hebreos 10,19-20**

"Sabiendo que habéis sido rescatados de la conducta necia heredada de vuestros padres, no con algo caduco, oro o plata, sino con una sangre preciosa, como de cordero sin tacha y sin mancilla, Cristo." **I Pedro 1,18-19**

"Y la sangre de su Hijo Jesús nos purifica de todo pecado." **I Juan 1,7b**

"Si decimos: 'No tenemos pecado', nos engañamos y la verdad no está en nosotros. Si reconocemos nuestros pecados, fiel y justo es Él para perdonarnos los pecados y purificarnos de toda injusticia." **I Juan 1,8-9**

"Jesucristo, el Testigo fiel, el Primogénito de entre los muertos, el Príncipe de los reyes de la tierra." **Apocalipsis 1,5a**

"Y cantan un cántico nuevo diciendo: 'Eres digno de tomar el libro y abrir sus sellos, porque fuiste degollado y con tu sangre compraste para Dios hombres de toda raza, lengua, pueblo y nación." **Apocalipsis 5,9**

Conversión: camino para la salvación

"Id, pues, a aprender qué significa aquello de: Misericordia quiero, que no sacrificio. Porque no he venido a llamar a justos sino a pecadores." **Mateo 9,13**

"Despues que Juan fue preso, marchó Jesús a Galilea; y proclamaba la Buena Nueva de Dios: 'El tiempo se ha cumplido y el Reino de Dios está cerca; convertíos y creed en la Buena Nueva.'" **Marcos 1,14-15**

"Y se fue por toda la región del Jordán proclamando un bautismo de conversión para perdón de los pecados." **Lucas 3,3**

"Dando testimonio tanto a judíos como a griegos para que se convirtieran a Dios y creyeran en nuestro Señor Jesús." **Hechos 20,21**

"Sino que primero a los habitantes de Damasco, después a los de Jerusalén y por todo el país de Judea y también a los gentiles he predicado que se convirtieran y que se volvieran a Dios haciendo obras dignas de conversión." **Hechos 26,20**

"Y ¿te figuras, tú que juzgas a los que cometen tales cosas y las cometes tú mismo, que escaparás al juicio de Dios? O ¿desprecias, tal vez, sus riquezas de bondad, de paciencia y de longanimidad, sin reconocer que esa bondad de Dios te impulsa a la conversión?" **Romanos 2,3-4**

"No se retrasa el Señor en el cumplimiento de la promesa, como algunos lo suponen, sino que usa de paciencia con vosotros, no queriendo que algunos perezcan, sino que todos lleguen a la conversión." **II Pedro 3,9**

"Pedro les contestó: 'Convertíos y que cada uno de vosotros se haga bautizar en el nombre de Jesucristo, para remisión de vuestros pecados; y recibiréis el don del Espíritu Santo." **Hechos 2,38**

"Arrepentíos, pues, y convertíos, para que vuestros pecados sean borrados." **Hechos 3,19**

"Yo te libraré de tu pueblo y de los gentiles, a los cuales yo te envío, para que les abras los ojos; para que se conviertan de las tinieblas a la luz, y del poder de Satanás a Dios; y para que reciban el perdón de los pecados y una parte en la herencia entre los santificados, mediante la fe en mí." **Hechos 26,17-18**

"Os digo que, de igual modo, habrá más alegría en el cielo por un solo pecador que se convierta que por noventa y nueve justos que no tengan necesidad de conversión." **Lucas 15,7**

"Del mismo modo, os digo, se alegran los ángeles de Dios por un solo pecador que se convierta." **Lucas 15,10**

"Acercaos a Dios y él se acercará a vosotros. Purificaos, pecadores, las manos; limpiad los corazones, hombres irresolutos. Lamentad vuestra miseria, entristeceos y llorad. Que vuestra risa se cambie en llanto y vuestra alegría en tristeza. Humillaos ante el Señor y él os ensalzará." **Santiago 4,8-10**

249

El amor de Dios por nosotros

"Tanto amó Dios al mundo que dio a su Hijo único, para que todo el que crea en él no perezca, sino que tenga vida eterna." **Juan 3,16**

"En esto se manifestó el amor que Dios nos tiene: en que Dios envió al mundo a su Hijo único para que vivamos por medio de él. En esto consiste el amor: no en que nosotros hayamos amado a Dios, sino en que Él nos amó y nos envió a su Hijo como propiciación por nuestros pecados." **I Juan 4,9-10**

"Y la esperanza no falla, porque el amor de Dios ha sido derramado en nuestros corazones por el Espíritu Santo que nos ha sido dado." **Romanos 5,5**

"La prueba de que Dios nos ama es que Cristo, siendo nosotros todavía pecadores, murió por nosotros." **Romanos 5,8**

"Dios, rico en misericordia, por el grande amor con que nos amó, estando muertos a causa de nuestros delitos, nos vivificó juntamente con Cristo – por gracia habéis sido salvados." **Efesios 2,4-5**

"Estoy seguro de que ni la muerte ni la vida ni los ángeles ni los principados ni lo presente ni lo futuro ni las potestades ni la altura ni la profundidad ni otra criatura alguna podrá separarnos del amor de Dios manifestado en Cristo Jesús Señor nuestro." **Romanos 8,38-39**

Jesús murió por nosotros, pecadores

"No he venido a llamar a justos sino a pecadores." **Mateo 9,13c**

"Al oir esto Jesús, les dice: 'No necesitan médico los sanos, sino los que están mal; no he venido a llamar a justos, sino a pecadores.'" **Marcos 2,17**

"Les respondió Jesús: 'No necesitan médico los sanos, sino los que están mal. No he venido a llamar a conversión a justos, sino a pecadores." **Lucas 5,31-32**

"Es cierta y digna de ser aceptada por todos esta afirmación: Cristo Jesús vino al mundo a salvar a los pecadores; y el primero de ellos soy yo." **I Timoteo 1,15**

"Os transmití, en primer lugar, lo que a mi vez recibí: que Cristo murió por nuestros pecados, según las Escrituras; que fue sepultado y que resucitó al tercer día, según las Escrituras." **I Corintios 15,3-4**

"Dios no ha enviado a su Hijo al mundo para condenar al mundo, sino para que el mundo se salve por él." **Juan 3,17**

"De éste todos los profetas dan testimonio de que todo el que cree en él alcanza, por su nombre, el perdón de los pecados." **Hechos 10,43**

"Hijos míos, os escribo esto para que no pequéis. Pero si alguno peca, tenemos a uno que abogue ante el Padre: a Jesucristo, el justo. Él es víctima de propiciación por nuestros pecados, no sólo por los nuestros, sino también por los del mundo entero." **I Juan 2,1-2**

La Sangre de Jesús nos reconcilia con Dios y nos torna justos a Sus ojos

"Habiendo, pues, recibido de la fe nuestra justificación, estamos en paz con Dios, por nuestro Señor Jesucristo."
Romanos 5,1

"¡Con cuánta más razón, pues, justificados ahora por su sangre, seremos por él salvos de la cólera! Si cuando éramos enemigos, fuimos reconciliados con Dios por la muerte de su Hijo, ¡con cuánta más razón, estando ya reconciliados, seremos salvos por su vida! Y no solamente eso, sino que también nos gloriamos en Dios, por nuestro Señor Jesucristo, por quien hemos obtenido ahora la reconciliación"
Romanos 5,9-11

"Y todo proviene de Dios, que nos reconcilió consigo por Cristo. [...] Porque en Cristo estaba Dios reconciliando al mundo consigo, no tomando en cuenta las transgresiones de los hombres."
II Corintios 5,18a.19a

"Dios exhortara por medio de nosotros. En nombre de Cristo os suplicamos: ¡reconciliaos con Dios! A quien no conoció pecado, le hizo pecado por nosotros, para que viniésemos a ser justicia de Dios en él."
II Corintios 5,20b-21

"Él nos libró del poder de las tinieblas y nos trasladó al Reino del Hijo de su amor, en quien tenemos la redención: el perdón de los pecados."
Colosenses 1,13-14

"Dios tuvo a bien hacer residir en él toda la Plenitud, y reconciliar por él y para él todas las cosas, pacificando, mediante la sangre de su cruz, lo que hay en la tierra y en los cielos." **Colosenses 1,19-20**

"De él os viene que estéis en Cristo Jesús, al cual hizo Dios para nosotros sabiduría, justicia, santificación y redención." **I Corintios 1,30**

"¿No sabéis acaso que los injustos no heredarán el Reino de Dios? [...] Y tales fuisteis algunos de vosotros. Pero habéis sido lavados, habéis sido santificados, habéis sido justificados en el nombre del Señor Jesucristo y en el Espíritu de nuestro Dios." **I Corintios 6,9a.11**

Recibimos la salvación por la fe en Jesucristo

"A todos los que la recibieron les dio poder de hacerse hijos de Dios, a los que creen en su nombre."
Juan 1,12

"El que crea y sea bautizado, se salvará; el que no crea, se condenará." **Marcos 16,16**

"Ya os he dicho que moriréis en vuestros pecados, porque si no creéis que Yo Soy, moriréis en vuestros pecados."
Juan 8,24

"De éste todos los profetas dan testimonio de que todo el que cree en él alcanza, por su nombre, el perdón de los pecados." **Hechos 10,43**

"Tened, pues, entendido, hermanos, que por medio de éste os es anunciado el perdón de los pecados; y la total justificación que no pudisteis obtener por la Ley de Moisés la obtiene por él todo el que cree."
Hechos 13,38-39

"Le respondieron: 'Ten fe en el Señor Jesús y te salvarás tú y tu casa.'" **Hechos 16,31**

"Os he escrito estas cosas a los que creéis en el nombre del Hijo de Dios, para que os deis cuenta de que tenéis vida eterna." **I Juan 5,13**

"Y cuando Jesús llegó a aquel sitio, alzando la vista, le dijo: 'Zaqueo, baja pronto; porque conviene que hoy me quede yo en tu casa.' Se apresuró a bajar y le recibió con alegría. [...] Jesús le dijo: 'Hoy ha llegado la salvación a esta casa, porque también éste es hijo de Abraham, pues el Hijo del hombre ha venido a buscar y salvar lo que estaba perdido.'" **Lucas 19,5-6.9-10**

"El que cree en el Hijo tiene vida eterna; el que se resiste al Hijo, no verá la vida, sino que la cólera de Dios pesa sobre él." **Juan 3,36**

"Tanto amó Dios al mundo que dio a su Hijo único, para que todo el que crea en él no perezca, sino que tenga vida eterna." **Juan 3,16**

"Dios no ha enviado a su Hijo al mundo para condenar al mundo, sino para que el mundo se salve por él." **Juan 3,17**

"El que cree en él, no es condenado; pero el que no cree, ya está condenado, porque no ha creído en el nombre del Hijo único de Dios." **Juan 3,18**

"Habéis sido salvados por la gracia mediante la fe; y esto no viene de vosotros, sino que es don de Dios; tampoco viene de las obras, para que nadie se gloríe." **Efesios 2,8-9**

"Y este es el testimonio: Dios nos ha dado vida eterna y esta vida está en su Hijo. Quien tiene al Hijo, tiene la vida; quien no tiene al Hijo, no tiene la vida." **I Juan 5,11-12**

"Mira que estoy a la puerta y llamo; si alguno oye mi voz y me abre la puerta, entraré en su casa y cenaré con él y él conmigo." **Apocalipsis 3,20**

Testimonio: confesión y proclamación de Jesucristo como Salvador y Señor

"Entonces, ¿qué dice? Cerca de ti está la palabra: en tu boca y en tu corazón, es decir, la palabra de la fe que nosotros proclamamos. Porque, si confiesas con tu boca que Jesús es Señor y crees en tu corazón que Dios le resucitó de entre los muertos, serás salvo. Pues con el corazón se cree para conseguir la justicia, y con la boca se confiesa para conseguir la salvación."   **Romanos 10,8-10**

"A este Jesús Dios le resucitó; de lo cual todos nosotros somos testigos. Y exaltado por la diestra de Dios, ha recibido del Padre el Espíritu Santo prometido y ha derramado lo que vosotros veis y oís. [...] Sepa, pues, con certeza toda la casa de Israel que Dios ha constituido Señor y Cristo a este Jesús a quien vosotros habéis crucificado."
Hechos 2,32-33.36

"Él es la piedra que vosotros, los constructores, habéis despreciado y que se ha convertido en piedra angular. Porque no hay bajo el cielo otro nombre dado a los hombres por el que nosotros debamos salvarnos."
Hechos 4,11-12

"Dice la Escritura: 'Todo el que crea en él no será confundido.' Que no hay distinción entre judío y griego, pues uno mismo es el Señor de todos, rico para todos los que le invocan. Pues todo el que invoque el nombre del Señor se salvará."   **Romanos 10,11-13**

"Quien se avergüence de mí y de mis palabras en esta generación adúltera y pecadora, también el Hijo del hombre se avergonzará de él cuando venga en la gloria de su Padre con los santos ángeles." **Marcos 8,38**

"Por todo aquel que se declare por mí ante los hombres, yo también me declararé por él ante mi Padre que está en los cielos; pero a quien me niegue ante los hombres, le negaré yo también ante mi Padre que está en los cielos." **Mateo 10,32-33**

"Todo el que niega al Hijo tampoco posee al Padre. Quien confiesa al Hijo posee también al Padre." **I Juan 2,23**

Señorio de Jesús: obediencia a Su Palabra

"Si me amáis, guardaréis mis mandamientos." **Juan 14,15**

"'El que ha recibido mis mandamientos y los guarda, ese es el que me ama; y el que me ame, será amado de mi Padre; y yo le amaré y me manifestaré a él. [...] Si alguno me ama, guardará mi Palabra, y mi Padre le amará, y vendremos a él, y haremos morada en él. El que no me ama no guarda mis palabras. Y mi Palabra no es mía, sino del que me ha enviado.'" **Juan 14,21.23b-24**

"No todo el que me diga: 'Señor, Señor', entrará en el Reino de los Cielos, sino el que haga la voluntad de mi Padre celestial." **Mateo 7,21**

"Todo el que oiga estas palabras mías y las ponga en práctica, será como el hombre prudente que edificó su casa sobre roca." **Mateo 7,24**

"Todo el que venga a mí y oiga mis palabras y las ponga en práctica, os voy a mostrar a quién es semejante: Es semejante a un hombre que, al edificar una casa, cavó profundamente y puso los cimientos sobre roca. Al sobrevenir una inundación, rompió el torrente contra aquella casa, pero no pudo destruirla por estar bien edificada." **Lucas 6,47-48**

"¿Por qué me llamáis: 'Señor, Señor', y no hacéis lo que digo?" **Lucas 6,46**

"El que es de Dios, escucha las palabras de Dios; vosotros no las escucháis, porque no sois de Dios."

Juan 8,47

"El les respondió: 'Mi madre y mis hermanos son aquellos que oyen la Palabra de Dios y la cumplen.'"

Lucas 8,21

"Desechad toda inmundicia y abundancia de mal y recibid con docilidad la Palabra sembrada en vosotros, que es capaz de salvar vuestras almas. Poned por obra la Palabra y no os contentéis sólo con oírla, engañándoos a vosotros mismos."

Santiago 1,21-22

"Si alguno se contenta con oir la Palabra sin ponerla por obra, ése se parece al que contempla su imagen en un espejo: se contempla, pero, en yéndose, se olvida de cómo es. En cambio el que considera atentamente la Ley perfecta de la libertad y se mantiene firme, no como oyente olvidadizo sino como cumplidor de ella, ése, practicándola, será feliz."

Santiago 1,23-25

"Conozco tu conducta: he abierto ante ti una puerta que nadie puede cerrar, porque, aunque tienes poco poder, has guardado mi Palabra y nos has renegado de mi nombre."

Apocalipsis 3,8

Jesucristo nos da la vida eterna

"Y esta es la promesa que él mismo os hizo: la vida eterna."
I Juan 2,25

"Y este es el testimonio: Dios nos ha dado vida eterna y esta vida está en su Hijo. Quien tiene al Hijo, tiene la vida; quien no tiene al Hijo, no tiene la vida. Os he escrito estas cosas a los que creéis en el nombre del Hijo de Dios, para que os deis cuenta de que tenéis vida eterna."
I Juan 5,11-13

"Jesus le respondió: 'Yo soy la resurrección y la vida. El que cree en mí, aunque muera, vivirá; y todo el que vive y cree en mí, no morirá jamás. ¿Crees esto?'"
Juan 11,25-26

"Esta es la voluntad de mi Padre: que todo el que vea al Hijo y crea en él, tenga vida eterna y que yo le resucite el último día." **Juan 6,40**

"Yo soy el pan vivo, bajado del cielo. Si uno come de este pan, vivirá para siempre; y el pan que yo le voy a dar, es mi carne por la vida del mundo." **Juan 6,51**

"Yo os aseguro: si alguno guarda mi Palabra, no verá la muerte jamás." **Juan 8,51**

"En verdad, en verdad os digo: llega la hora (ya estamos en ella), en que los muertos oirán la voz del Hijo de Dios, y los que la oigan vivirán." **Juan 5,25**

"Obrad, no por el alimento perecedero, sino por el alimento que permanece para vida eterna, el que os da el Hijo del hombre, porque a éste es a quien el Padre Dios ha marcado con su sello." **Juan 6,27**

"En verdad, en verdad os digo: el que cree, tiene vida eterna." **Juan 6,47**

"Al presente, libres del pecado y esclavos de Dios, fructificáis para la santidad; y el fin, la vida eterna. Pues el salario del pecado es la muerte; pero el don gratuito de Dios, la vida eterna en Cristo Jesús Señor nuestro." **Romanos 6,22-23**

"Mis ovejas escuchan mi voz; yo las conozco y ellas me siguen. Yo les doy vida eterna y no perecerán jamás; nadie las arrebatará de mi mano." **Juan 10,27-28**

"'Yo soy el pan vivo, bajado del cielo. Si uno come de este pan, vivirá para siempre; y el pan que yo le voy a dar, es mi carne por la vida del mundo.' Discutían entre sí los judíos y decían: '¿Cómo puede éste darnos a comer su carne? Jesús les dijo: 'En verdad, en verdad os digo: si no coméis la carne del Hijo del hombre, y no bebéis su sangre, no tenéis vida en vosotros. El que come mi carne y bebe mi sangre, tiene vida eterna, y yo le resucitaré el último día.'" **Juan 6,51-54**

"Tanto amó Dios al mundo que dio a su Hijo único, para que todo el que crea en él no perezca, sino que tenga vida eterna." **Juan 3,16**

"El que beba del agua que yo le dé, no tendrá sed jamás, sino que el agua que yo le dé se convertirá en él en fuente de agua que brota para vida eterna."

Juan 4,14

"En verdad, en verdad os digo: el que escucha mi Palabra y cree en el que me ha enviado, tiene vida eterna y no incurre en juicio, sino que ha pasado de la muerte a la vida." **Juan 5,24**

"Él nos salvó [...] por medio del baño de regeneración y de renovación del Espíritu Santo, [...] para que, justificados por su gracia, fuésemos constituidos herederos, en esperanza, de vida eterna." **Tito 3,5a.c.7**

"Sabemos que el Hijo de Dios ha venido y nos ha dado inteligencia para que conozcamos al Verdadero. Nosotros estamos en el Verdadero, en su Hijo Jesucristo. Este es el Dios verdadero y la vida eterna." **I Juan 5,20**

Jesucristo promete y envía al Espíritu Santo

"Yo os bautizo con agua para conversión; pero aquel que viene detrás de mí es más fuerte que yo, y no merezco llevarle las sandalias. Él os bautizará en el Espíritu Santo y en el Fuego." **Mateo 3,11**

"Y proclamaba: 'Detrás de mí viene el que es más fuerte que yo; ante el cual no merezco inclinarme para desatar las correas de sus sandalias. Yo os he bautizado con agua, pero él os bautizará con el Espíritu Santo.'" **Marcos 1,7-8**

"Y Juan dio testimonio diciendo: 'He visto al Espíritu que bajaba del cielo como una paloma y se quedaba sobre él.' Y yo no le conocía, pero el que me envió a bautizar con agua, me dijo: 'Aquel sobre quien veas que baja el Espíritu y se queda sobre él, ése es el que bautiza con el Espíritu Santo. Y yo le he visto y doy testimonio de que este es el Elegido de Dios." **Juan 1,32-34**

"Aquel a quien Dios ha enviado habla las palabras de Dios, porque le da el Espíritu sin medida." **Juan 3,34**

"Yo os digo la verdad: Os conviene que yo me vaya; porque si no me voy, no vendrá a vosotros el Paráclito; pero si me voy, os lo enviaré." **Juan 16,7**

"Y yo pedrié al Padre y os dará otro Paráclito, para que esté con vosotros para siempre, el Espíritu de la verdad, a quien el mundo no puede recibir, porque no le ve ni le conoce. Pero vosotros le conocéis, porque mora con vosotros y en vosotros está." **Juan 14,16-17**

"El Paráclito, el Espíritu Santo, que el Padre enviará en mi nombre, os lo enseñará todo y os recordará todo lo que yo os he dicho." **Juan 14,26**

"Cuando venga el Paráclito, el Espíritu de la verdad, que procede del Padre, y que yo os enviaré de junto al Padre, él dará testimonio de mí." **Juan 15,26**

"Cuando venga él, el Espíritu de la verdad, os guiará hasta la verdad completa; pues no hablará por su cuenta, sino que hablará lo que oiga, y os anunciará lo que ha de venir." **Juan 16,13**

"Juan bautizó con agua, pero vosotros seréis bautizados en el Espíritu Santo dentro de pocos días."
Hechos 1,5

"Recibiréis la fuerza del Espíritu Santo, que vendrá sobre vosotros, y seréis mis testigos en Jerusalén, en toda Judea y Samaría, y hasta los confines de la tierra."
Hechos 1,8

"Llegado el día de Pentecostés, estaban todos reunidos en un mismo lugar. De repente vino del cielo un ruido como el de una ráfaga de viento impetuoso, que llenó toda la casa en la que se encontraban. Se les aparecieron unas lenguas como de fuego que dividiéndose se posaron sobre cada uno de ellos; quedaron todos llenos del Espíritu Santo y se pusieron a hablar en otras lenguas, según el Espíritu les concedía expresarse." **Hechos 2,1-4**

"Nosotros somos testigos de estas cosas, y también el Espíritu Santo que ha dado Dios a los que le obedecen." **Hechos 5,32**

"Al enterarse los apóstoles que estaban en Jerusalén de que Samaría había aceptado la Palabra de Dios, les enviaron a Pedro y a Juan. Éstos bajaron y oraron por ellos para que recibieran el Espíritu Santo; pues todavía no había descendido sobre ninguno de ellos; únicamente habían sido bautizados en el nombre del Señor Jesús. Entonces les imponían las manos y recibían el Espíritu Santo." **Hechos 8,14-17**

"Estaba Pedro diciendo estas cosas cuando el Espíritu Santo cayó sobre todos los que escuchaban la Palabra. Y los fieles circuncisos que habían venido con Pedro quedaron atónitos al ver que el don del Espíritu Santo había sido derramado también sobre los gentiles, pues les oían hablar en lenguas y glorificar a Dios. Entonces Pedro dijo: '¿Acaso puede alguno negar el agua del bautismo a éstos que han recibido el Espíritu Santo como nosotros?'" **Hechos 10,44-47**

"Había empezado yo a hablar cuando cayó sobre ellos el Espíritu Santo, como al principio había caído sobre nosotros. Me acordé entonces de aquella palabra que dijo el Señor: Juan bautizó con agua, pero vosotros seréis bautizados en el Espíritu Santo." **Hechos 11,15-16**

La promesa del Espíritu Santo también es para nosotros

"Y os daré un corazón nuevo, infundiré en vosotros un espíritu nuevo, quitaré de vuestra carne el corazón de piedra y o daré un corazón de carne. Infundiré mi espíritu en vosotros y haré que os conduzcáis según mis preceptos y observéis y practiquéis mis normas."
Ezequiel 36,26-27

"Recibiréis la fuerza del Espíritu Santo, que vendrá sobre vosotros, y seréis mis testigos en Jerusalén, en toda Judea y Samaría, y hasta los confines de la tierra."
Hechos 1,8

"Pedro les contestó: 'Convertíos y que cada uno de vosotros se haga bautizar en el nombre de Jesucristo, para remisión de vuestros pecados; y recibiréis el don del Espíritu Santo; pues la Promesa es para vosotros y para vuestros hijos, y para todos los que están lejos, para cuantos llame el Señor Dios nuestro."
Hechos 2,38-39

"Nosotros somos testigos de estas cosas, y también el Espíritu Santo que ha dado Dios a los que le obedecen."
Hechos 5,32

"Yo os digo: 'Pedid y se os dará; buscad y hallaréis; llamad y se os abrirá. Porque todo el que pide, recibe; y el que busca, halla; y al que llama, se le abrirá. ¿Qué padre hay entre vosotros que, si su hijo le pide pan, le da una piedra; o, si un pescado, en vez de pescado le da una culebra; o, si pide un huevo, le da un escorpión? Si pues, vosotros, siendo malos, sabéis dar cosas buenas a vuestros hijos, ¡cuánto más el Padre del cielo dará el Espíritu Santo a los que se lo pidan!" **Lucas 11,9-13**

"Por eso os digo: todo cuanto pidáis en la oración, creed que ya lo habéis recibido y lo obtendréis."
Marcos 11,24

"A fin de que llegara a los gentiles, en Cristo Jesús, la bendición de Abraham, y por la fe recibiéramos el Espíritu de la Promesa." **Gálatas 3,14**

"En él también vosotros, tras haber oído la Palabra de la verdad, la Buena Nueva de vuestra salvación, y creído también en él, fuisteis sellados con el Espíritu Santo de la Promesa, que es prenda de nuestra herencia, para redención del Pueblo de su posesión, para alabanza de su gloria."
Efesios 1,13-14

"Y el que nos marcó con su sello y nos dio en arras el Espíritu en nuestros corazones." **II Corintios 1,22**

"Y la esperanza no falla, porque el amor de Dios ha sido derramado en nuestros corazones por el Espíritu Santo que nos ha sido dado." **Romanos 5,5**

"No os embriaguéis con vino, que es causa de libertinaje; llenaos más bien del Espíritu." **Efesios 5,18**

"¿No sabéis que sois santuario de Dios y que el Espíritu de Dios habita en vosotros?" **I Corintios 3,16**

"¿O no sabéis que vuestro cuerpo es santuario del Espíritu Santo, que está en vosotros y habéis recibido de Dios, y que no os pertenecéis?" **I Corintios 6,19**

"Id, pues, y haced discípulos a todas las gentes bautizándolas en el nombre del Padre y del Hijo y del Espíritu Santo, y enseñándoles a guardar todo lo que yo os he mandado. Y sabed que yo estoy con vosotros todos los días hasta el fin del mundo." **Mateo 28,19-20**

Somos hijos de Dios

"A todos los que la recibieron les dio poder de hacerse hijos de Dios, a los que creen en su nombre."
Juan 1,12

"Hermanos míos, no somos deudores de la carne para vivir según la carne, pues, si vivís según la carne, moriréis. Pero si con el Espíritu hacéis morir las obras del cuerpo, viviréis. En efecto, todos los que son guiados por el Espíritu de Dios son hijos de Dios. Pues no recibisteis un espíritu de esclavos para recaer en el temor; antes bien, recibisteis un espíritu de hijos adoptivos que nos hace exclamar: ¡Abbá, Padre! El Espíritu mismo se une a nuestro espíritu para dar testimonio de que somos hijos de Dios. Y, si hijos, también herederos; herederos de Dios y coherederos de Cristo, ya que sufrimos con él, para ser también con él glorificados."
Romanos 8,12-17

"Todos sois hijos de Dios por la fe en Cristo Jesús."
Gálatas 3,26

"La prueba de que sois hijos es que Dios ha enviado a nuestros corazones el Espíritu de su Hijo que clama ¡Abbá, Padre! De modo que ya no eres esclavo, sino hijo; y si hijo, también heredero por voluntad de Dios."
Gálatas 4,6-7

"Eligiéndonos de antemano para ser sus hijos adoptivos por medio de Jesucristo, según el beneplácito de su voluntad." **Efesios 1,5**

"Mirad qué amor nos ha tenido el Padre para llamarnos hijos de Dios, pues ¡lo somos! El mundo no nos conoce porque no le conoció a Él. Queridos, ahora somos hijos de Dios y aún no se ha manifestado lo que seremos. Sabemos que, cuando se manifieste, seremos semejante a Él, porque Le veremos tal cual es." **I Juan 3,1-2**

"A los que de antemano conoció, también los predestinó a reproducir la imagen de su Hijo, para que fuera él el primogénito entre muchos hermanos."
Romanos 8,29

"Todo el que cumpla la voluntad de mi Padre celestial, ése es mi hermano, mi hermana y mi madre."
Mateo 12,50

"Dícele Jesús: 'Déjame, que todavía no he subido al Padre. Vete donde los hermanos y diles: Subo a mi Padre y vuestro Padre, a mi Dios y vuestro Dios.'"
Juan 20,17

"A quien ama el Señor, le corrige; y azota a todos los hijos que acoge. Sufrís para corrección vuestra. Como a hijos os trata Dios, y ¿qué hijo hay a quien su padre no corrige?"
Hebreos 12,6-7

"Además, teníamos a nuestros padres según la carne, que nos corregían, y les respetábamos. ¿No nos someteremos mejor al Padre de los espíritus para vivir?"
Hebreos 12,9

Dios nos quiere santos

"Santificaos y sed santos; porque yo soy Yahvéh, vuestro Dios. Guardad mis preceptos y cumplidlos. Yo soy Yahvéh, el que os santifico." **Levítico 20,7-8**

"Vosotros, pues, sed perfectos como es perfecto vuestro Padre celestial." **Mateo 5,48**

"A todos los amados de Dios que estáis en Roma, santos por vocación, a vosotros gracia y paz, de parte de Dios nuestro Padre y del Señor Jesucristo." **Romanos 1,7**

"Os exhorto, pues, hermanos, por la misericordia de Dios, a que ofrezcáis vuestros cuerpos como una víctima viva, santa, agradable a Dios: tal será vuestro culto espiritual." **Romanos 12,1**

"A la Iglesia de Dios que está en Corinto: a los santificados en Cristo Jesús, llamados a ser santos, con cuantos en cualquier lugar invocan el nombre de Jesucristo, Señor nuestro, de nosotros y de ellos, gracia a vosotros y paz de parte de Dios, Padre nuestro, y del Señor Jesucristo." **I Corintios 1,2-3**

"Bendito sea el Dios y Padre de nuestro Señor Jesucristo, que nos ha bendecido con toda clase de bendiciones espirituales, en los cielos, en Cristo; por cuanto nos ha elegido en él antes de la creación del mundo, para ser santos e inmaculados en su presencia, en el amor." **Efesios 1,3-4**

"Así pues, ya no sois extraños ni forasteros, sino conciudadanos de los santos y familiares de Dios." **Efesios 2,19**

"Gracias al Padre que os ha hecho aptos para participar en la herencia de los santos en la luz."

Colosenses 1,12

"Y a vosotros, que en otro tiempo fuisteis extraños y enemigos, por vuestros pensamientos y malas obras, os ha reconciliado ahora, por medio de la muerte en su cuerpo de carne, para presentaros santos, inmaculados e irreprensibles delante de Él."

Colosenses 1,21-22

"[Dios] nos ha salvado y nos ha llamado con una vocación santa, no por nuestras obras, sino por su propia determinación y por su gracia que nos dio desde toda la eternidad en Cristo Jesús."

II Timoteo 1,9

"Hermanos santos, partícipes de una vocación celestial, considerad al apóstol y Sumo Sacerdote de nuestra fe, a Jesús."

Hebreos 3,1

"Así como el que os ha llamado es santo, así también vosotros sed santos en toda vuestra conducta, como dice la Escritura: 'Seréis santos, porque santo soy yo.'"

I Pedro 1,15-16

"Vosotros sois linaje elegido, sacerdocio real, nación santa, pueblo adquirido, para anunciar las alabanzas de Aquel que os ha llamado de las tinieblas a su admirable luz."

I Pedro 2,9

"Puesto que todas estas cosas han de disolverse así, ¿cómo conviene que seáis en vuestra santa conducta y en la piedad, esperando y acelerando la venida del Día de Dios, en el que los cielos, en llamas, se disolverán, y los elementos, abrasados, se fundirán?"

II Pedro 3,11-12

2

Oraciones

Para recibir a Jesucristo como único Salvador y Señor

"Mira que estoy a la puerta y llamo; si alguno oye mi voz y me abre la puerta, entraré en su casa y cenaré con él y él conmigo" (Ap 3,20).

Padre Celestial,
   vengo a Ti en este momento
   a clamar Tu misericordia y Tu perdón.

Sé que soy pecador,
   reconozco humildemente mis pecados,
   me arrepiendo de todos ellos.

Perdón, Dios mío,
  por todo lo que Te he ofendido y desobedecido,
  por lo poco que Te he amado y honrado
  y por el mal que he causado a mi prójimo.

Perdón, Padre mío,
  por el odio que guardé en el corazón,
  por los maltratos, rencores y resentimientos,
  por el perdón que muchas veces negué,
  por el mal que causé
  y por el bien que dejé de hacer.

(En presencia del Señor haga su examen de conciencia.)

¡Ten piedad de mí!

¡Ten compasión de mí, Padre mío!

(Consulte su corazón sobre la posibilida de buscar a las personas que usted maltrató y ofendió para una reconciliación. Si han fallecido, pídales perdón en intención.)

En tu presencia, Dios mío,
  perdono ahora a todos aquellos que me ofendieron
  y me causaron daño,
  y pido perdón por aquellas que ofendí y perjudiqué.

Señor Jesús,
  Te recibo en mi corazón
  como mi único y asaz Salvador
  y proclamo que Tú eres mi Señor.

Creo que moriste por mis pecados
  y resucitaste de entre los muertos para mi salvación.

Creo que estás vivo,
  sentado a la diestra de Dios Padre en poder y gloria,
  y vendrás por segunda vez
  para juzgar a los vivos y a los muertos.

¡Lávame, Jesús, con Tu preciosa Sangre
   y purifícame de toda mancha del pecado!

¡Renueva mi mente,
   liberándome de toda la opresión del mal
   e influencia maligna!

¡Purifica mi alma con Tu Sangre redentora
   y con el poder de Tu Palabra!

¡Retira de mi pecho este corazón endurecido,
   marcado por el pecado,
   y dame un corazón nuevo,
   semejante al Tuyo,
   lleno de misericordia, amor y perdón!

¡Lléname ahora con Tu Santo Espíritu,
   para que comprenda
   y viva Tu Palabra,
   y obedezca Tus leyes
   y Tus mandamientos!

¡Sálvame, Señor Jesús!

¡Cúrame, Señor Jesús!

¡Transfórmame en un verdadero hijo de Dios!

¡Dame la vida eterna!

Creo firmemente que estás operando
   esta salvación en mi alma.

Delante de Ti,
   con fe y alegría,
   asumo la gracia de mi bautizo.

De hoy en adelante
   quiero vivir para amarTe y servir
   todos los días de mi vida

y gozar de Tu presencia en el cielo
por toda la eternidad.

En el poder de Tu nombre, Jesús,
y en la poderosa intercesión de la Virgen María.

Amén y amén.

Observación: Si usted es católico, busque a un sacerdote para que él le ministre el sacramento de la reconciliación, instituido por el propio Jesús (cf. Juan 20,22-23), que retificará sacramentalmente el perdón que Dios le concede.

Para pedir la efusión del Espíritu Santo

"Si pues, vosotros, siendo malos, sabéis dar cosas buenas a vuestros hijos, ¡cuánto más el Padre del cielo dará el Espíritu Santo a los que se lo pidan!" (Lc 11,13).

Padre Celestial,
    es con el corazón lleno de alegría y gratitud
    que vengo hoy a Tu trono de gracia.

¡Te alabo y Te bendigo, Dios mío,
    por Tu inmenso amor por todos nosotros!

¡Te agradezco
    por la maravillhosa salvación
    que proveiste para la humanidad
    en Jesucristo, Tu Hijo unigénito!

¡Te glorifico, Dios mío,
    porque en El, con El y por El
    tenemos acceso a todos los bienes espirituales
    y a toda la riqueza de Tu misericordia!

En Jesús tenemos la redención,
    la remisión de nuestros pecados.

En El renacemos como Tus hijos.

En El y por El
    recibimos todas las gracias necesarias
    por nuestra satisfacción.

De El recibimos,
de parte Tuya,
al Espíritu Santo prometido.

Dios mío,
Tú eres mi Padre
y Te suplico con toda confianza:

¡Bautízame ahora con Tu Espíritu!

¡Lléname, inúndame,
sumérgeme en Tu Espíritu!

Señor Jesús,
en el poder de Tu nombre, pido:

Derrama desde lo alto Tu poder,
haz venir sobre mí
Tu Espíritu Santo ahora,
para que yo sea repleto de Tu poder,
como fueron Tus apóstoles,
Tus discípulos,
en aquel día del cenáculo!

¡Ven, Espíritu de Dios,
ven sobre mí,
ven a santificarme,
ven a animarme,
ven a liberar en mí Tu fuerza y poder,
ven a revestirme, Señor,
con Tus dones y dame fuerza y confianza
para dar testimonio de mi fe
con mi propia vida!

¡Ven, Espíritu Santo de Dios,
en nombre de Jesús!

Te adoro,
Santa Trinidad,

Padre, Hijo y Espíritu Santo,
y me alegro en Ti.

Creo que mis súplicas fueron oídas.

Sé, Dios mío,
que jamás niegas el Espíritu Santo
a los que Te piden
con fe y confianza,
pues esa es Tu promesa.

Porque eres fiel y verdadero,
porque velas sobre Tu Palabra
para que ella se cumpla,
recibo ahora, por la fe,
al Espíritu Santo prometido.

¡Gloria a Ti, Dios mío!

¡Bendito seas, Padre mío!

En nombre de Jesús.

Amén y amén.

Para pedir el don de la perseverancia en la Palabra de Dios

Hoy vengo a Ti, Padre mío,
   y, en nombre de Jesucristo,
   Te pido que me concedas el don de la perseverancia
   en la lectura, en la meditación y en la vivencia de Tu Palabra.

¡Hazme fiel a Ti, Padre mío,
   a Tu Palabra
   y a Tus mandamientos
   todos los días de mi vida!

¡Padre, envía Tu Espíritu sobre mí!
   Que El me plenifique con Su poder,
   sabiduría, forgaleza, discernimiento,
   prudencia, entendimiento,
   consejo y temor!

Señor Jesús, Tú dijiste:

> *"Las palabras que os he dicho son espíritu y son vida"* (Jn 6,63b) e *"Si os mantenéis fieles a mi Palabra, seréis verdaderamente mis discípulos, y conoceréis la verdad y la verdad os hará libres"* (Jn 8,31b-32).

¡Enséñame a conocer, a amar y a vivir Tu Palabra!

¡Lléname con el Espíritu Santo,
   y que El vivifique Tu Palabra
   en mi corazon,
   convirtiéndome, curándome,
   liberándome, salvándome!

¡Concédeme la gracia de comprender
   que Tú eres la propia Palabra de Dios encarnada

y que por Ti y para Ti
fueron creadas todas las cosas!

¡Este mundo en el que vivimos,
tan marcado por el pecado,
donde tantas voces se levantan
proponiendo caminos que no son los Tuyos,
palabras que no son las Tuyas,
que mi corazón se vuelva
más y más a Ti!

¡Toca con Tu poder
mi entendimiento
por las realidades espirituales!

¡Abre los oídos de mi alma,
para que oiga Tu voz;
los ojos de mi espíritu,
para que contemple Tu rostro;
y mi boca,
para que proclame Tus alabanzas
y anuncie mis hermanos
la nueva buena de la salvación!

¡Toca lo profundo de mi ser
para que yo Te ame
con todo mi corazón,
con toda mi alma,
con todo mi espíritu
y con todas mis fuerzas!

¡Bendito Espíritu Santo,
ven a vivir en mí
y libera Tu amor y poder en mi vida,
para que yo obedezca Tus leyes,
siguiendo y observando con fidelidad
todos los preceptos divinos!

¡Santifícame, Señor, con Tu presencia,
formando en mí el carácter de Jesús!

¡Modélame, Santo Espíritu!

Hazme de nuevo
a imagen y semejanza
de Jesús, mí Salvador!

¡Dios mío, yo te bendigo!

¡Tu Palabra me da vida!

¡Tu Palabra me salva, cura y liberta!

¡Tu Palabra me da el entendimiento
de Tu voluntad y el discernimiento entre el bien y el mal

¡Tu Palabra me defiende de la astucia del maligno!

¡Tu Palabra me purifica y santifica!

Padre santo, yo te pido,
hazme siempre fiel y obediente a Tu Santa Palabra.

En nombre de Jesús.

Amén y amén.

3

Bendiciones

"Si tú obedeces de verdad
  a la voz de Yahvéh tu Dios,
  cuidando de practicar
  todos los mandamientos
  que yo te prescribo hoy,
  Yahvéh tu Dios te levantará
  por encima de todas las naciones de la tierra.

Y vendrán sobre ti
  y te alcanzarán todas las bendiciones siguientes,
  por haber obedecido a la voz de Yahvéh tu Dios.

Bendito serás en la ciudad
  y bendito en el campo.

Bendito será el fruto de tus entrañas,
  el producto de tu suelo,
  el fruto de tu ganado,
  el parto de tus vacas y las crías de tus ovejas;

benditas serán tu cesta
y tu artesa.

Bendito serás cuando entres
y bendito cuando salgas.

A los enemigos que se levanten contra ti,
Yahvéh los pondrá en derrota.

Salidos por un camino a tu encuentro,
por siete caminos huirán de ti.

Yahvéh mandará a la bendición que esté contigo,
en tus graneros y en tus empresas,
y te bendecirá en la tierra
que Yahvéh tu Dios te da.

Yahvéh hará de ti
el pueblo a él consagrado,
como te ha jurado,
si tú guardas
los mandamientos de Yahvéh tu Dios
y sigues sus caminos.

Todos los pueblos de la tierra
verán que sobre ti es invocado el nombre de Yahvéh
y te temerán.

Yahvéh te hará rebosar de bienes:
frutos de tus entrañas,
frutos de tu ganado,
y frutos de tu suelo,
en esta tierra que él juró a tus padres que te daría.

Yahvéh abrirá para ti
los cielos, su rico tesoro,
para dar a su tiempo la lluvia necesaria
a tu tierra y para bendecir toda obra de tus manos.

Prestarás a naciones numerosas,
   y tú no tendrás que tomar prestado.
Yahvéh te pondrá a la cabeza
   y no a la zaga;
   siempre estarás encima
   y nunca debajo,
   si escuchas los mandamientos de Yahvéh tu Dios,
   que yo te prescribo hoy,
   guardándolos y poniéndolos en práctica,
   sin apartarte ni a derecha ni a izquierda
   de ninguna de estas palabras que yos os prescribo hoy,
   para ir en pos de otros dioses a servirles."

Deuteronomio 28,1-14

4

Compromiso

Señor Jesús, en Tu presencia
yo me comprometo a leer, meditar,
orar y vivir
Tu Palabra todos los días de mi vida.

Clamo el poder de Tu Sangre redentora sobre mí,
purificando mi mente
y abriendo mi corazón
para acoger Tu Palabra,
haciéndola fructificar en mi vida,

Envía, Señor, Tu Espíritu Santo.
para que yo comprenda Tu Santa Palabra
y tenga la fuerza de Dios en mí para vivirla.

Madre santísima, Madre fiel,
tú que siempre escuchaste la Palabra de Dios
y supiste guardarla en tu corazón,

ruega por mí y hazme fiel
a este compromiso que ahora asumo:

Yo, ...(nombre),
   prometo que a partir de hoy, ...(fecha),
   voy a leer, meditar, orar y vivir la Palabra de Dios
   todos los días de mi vida.
Cuento con la fuerza y el poder del Espíritu Santo
   y la poderosa intercesión de la Virgen María,
   para que yo viva en esta tierra
   como un verdadero hijo de Dios
   y pueda vivir eternamente en Su presencia en el cielo.

En nombre de Jesús.

Amén y amén.